Olivier Clerc

Même lorsqu'elle recule, la rivière avance

Neuf histoires à vivre debout

D0493933

MARABOUT

Du même auteur :
Le Tigre et l'Araignée, Jouvence, 2004.
La grenouille qui ne savait pas qu'elle était cuite… et autres leçons de vie, Marabout, 2008.

Sommaire

Avant-propos 5

❋ Le cristal et le magma :
introduire du sens
dans le chaos 9

❋ La capitale et le pays :
le pouvoir est au centre 23

❋ L'allégorie des douze
photographes : se libérer de
l'opinion d'autrui 43

❋ Le téléviseur : le principe
d'inversion 61

❋ L'aube et le crépuscule : si
semblables et si différents 83

❋ Même lorque'elle recule,
la rivière avance :
trajectoire changeante et pente
constante 101

❋ Tons fondamentaux et
nuances : pas de relatif sans
absolu 115

❋ L'étincelle et l'éclair :
le petit à l'image du grand 131

❋ Comment le soleil sculpte
les rochers : les phases de la
matérialisation 147

Conclusion 167

Post-Scriptum :
Le dernier Rideau de fer :
se libérer de l'État totalitaire
de conscience 169

Avant-propos

Après *La grenouille qui ne savait pas qu'elle était cuite*, de nombreux lecteurs ayant apprécié ces « graines de sens » m'ont demandé si je n'en avais pas d'autres à présenter. Ma réponse ne pouvait être que positive : en développant un esprit analogique, on s'intéresse à la dimension symbolique qui relie les phénomènes les plus divers, et la nature, le monde qui nous entoure, l'infiniment grand et l'infiniment petit — et jusqu'aux inventions humaines les plus sophistiquées — peuvent être interprétés d'un point de vue métaphorique comme les reflets de ce qui se passe en nous, dans notre vie individuelle et collective.

J'ai donc rassemblé dans ces pages neuf nouvelles métaphores et allégories qui éclairent notre vie quotidienne d'un jour nouveau et nous permettent d'en appréhender des aspects qui, peut-être, nous échapperaient.

Les trois premières tournent autour — c'est le cas de le dire ! — du centre et de la périphérie, que ce soit avec le fragment de cristal, porteur de sens, qu'on introduit dans un magma informe ; avec la capitale où réside le pouvoir central du pays ; ou encore avec le lien entre notre identité profonde, notre « soi » (le centre), et l'opinion que les autres se forgent de nous (la périphérie). Tant de choses, dans la culture moderne, nous décentrent, si nous n'y prenons garde, que ces trois métaphores peuvent nous aider à faire ce retour vers le centre indispensable à qui veut trouver équilibre, paix intérieure et stabilité, dans notre monde si agité et changeant.

Les trois suivantes traitent du rapport entre l'apparence et le fond. Le téléviseur illustre le principe d'inversion entre sa fonction apparente et son fonctionnement réel ; la métaphore de l'aube et du crépuscule, si ressemblants visuellement et pourtant si différents dans l'énergie qui les anime ; et enfin la rivière – qui a donné son nom à ce recueil – dont le tracé sinueux et contradictoire, en apparence, obéit dans le fond à une pente inexorablement inclinée vers la mer. Là encore, compte tenu du culte de l'apparence qui règne aujourd'hui, ces trois métaphores développent un regard plus profond, un regard qui discerne ce qui anime en profondeur les phénomènes observés.

Enfin, les trois dernières ont en commun d'aborder les notions de relativité, de degrés et de hiérarchie. Les « Tons fondamentaux et [les] nuances » met en évidence la nécessité de découper l'échelle des couleurs en grandes catégories (les sept couleurs), avant de pouvoir en établir toute l'indispensable hiérarchie de nuances et de variations ; « L'étincelle et l'éclair » décrit ces deux manifestations comme les extrémités d'un même phénomène, pour mieux expliquer comment utiliser le petit pour maîtriser le grand ; enfin, « Comment le soleil sculpte les rochers » révèle la hiérarchie allant symboliquement du feu à la terre, en passant par l'air et l'eau, et indique comment utiliser ces étapes de condensation successives de la matière pour concrétiser nos idées et projets. Ces trois métaphores-là illustrent chacune à leur manière l'unité du réel sous le découpage opéré par la nature (avec les quatre états de la matière, par exemple), ou par nous (en fragmentant les spectres lumineux, auditifs, olfactifs, etc., en catégories simples et faciles à manier). Elles soulignent également la nécessité d'effectuer ce découpage et la façon de travailler avec ces degrés successifs d'une même énergie. Elles clarifient enfin les aspects paradoxaux du monde qui nous entoure, à la fois un et multiple, et nous indiquent des leviers pour agir sur ses différents niveaux interconnectés.

Ces trois séries de métaphores, dont j'ai découvert l'ordre et la cohérence au terme du parcours d'écriture – conformément à la métaphore de la rivière, j'ai laissé le flot des idées suivre son cours avant d'en découvrir la pente ordonnatrice –, présentent certainement de nombreux autres liens entre elles que vous découvrirez par vous-même, en fonction de votre histoire et de vos connaissances propres. Certaines, par exemple, parlent de *paradoxe* ; quelques-unes ont aussi en commun d'aborder les notions de transition et de changement. S'agissant de *La grenouille*…, c'est grâce à la sagacité d'une lectrice que j'ai découvert, plusieurs mois après sa publication, que presque toutes les métaphores de ce livre traitaient du temps, un fil conducteur qui m'avait échappé… En vous souhaitant de belles escapades sur les chemins de traverse des terres d'Allégorie !

O. C

Post-scriptum : L'édition est, par nature, un monde lent. Entre le moment où germe l'idée d'un livre, celui où le projet est accepté par l'éditeur, celui ensuite où le manuscrit est remis et celui enfin où il paraît en librairie, il peut s'écouler plusieurs mois. C'est ainsi qu'entre le jour où j'ai remis ce manuscrit à mon éditeur et celui où il allait partir en mise en page, il m'est venu une dixième métaphore que j'ai eu envie d'ajouter en « bonus » aux neuf autres. « Le dernier Rideau de fer » est une invitation à la *dissidence ultime*, à quitter l'État totalitaire… de conscience qui est depuis trop longtemps le nôtre. Elle figure délibérément après la conclusion, symbolisant ainsi un nouveau départ.

1

Le cristal et le magma : introduire du sens dans le chaos

Le cristal est une substance solidifiée de structure régulière et périodique, formée d'un empilement ordonné d'atomes : un même motif y est répété à l'identique. Les cristaux de neige en sont un exemple connu de chacun, ou encore les cristaux de sel. Le cristal est porteur d'ordre.

Le magma, par opposition, est une matière inorganisée, chaotique, c'est de la roche en fusion.

Lorsqu'on introduit un cristal, même minuscule, dans un magma informe, celui-ci va progressivement cristalliser la substance qui entre en contact avec lui. L'information dont il est porteur va se propager dans ce milieu qui en est dépourvu et va donc le former, l'informer, donner un sens à son agencement.

Si on lui laisse assez de temps, ce petit morceau peut ainsi cristalliser une quantité de magma informe infiniment plus grande que lui, à mesure qu'il grandit en transformant toute la substance environnante, grâce à l'ordonnance de sa propre matière.

La propagation de l'ordre et du sens que procure un cristal à une matière informe est une belle métaphore de phénomènes observés dans notre propre vie et autour de nous.

Le cristal, cela peut être une nouvelle idée, aussi puissante et lumineuse qu'un éclat cristallin. L'histoire de l'humanité est en effet marquée par l'introduction de nouveaux concepts, à certaines époques, qui ont imprimé avec force un nouvel ordre, une nouvelle structure à toute la société. « Rien n'est plus fort qu'une idée dont le temps est venu », disait Victor Hugo.

Quand, voici deux mille ans, Jésus sema en Galilée les germes cristallins du christianisme – Dieu présenté comme un père aimant et non plus comme un juge impitoyable, aimer son prochain, pardonner à ses ennemis, etc. –, qui aurait imaginé que ceux-ci auraient un jour, en se propageant de personne en personne, et de pays en pays, un impact aussi puissant sur les cinq continents ? De manière analogue, en introduisant le fragment de cristal de la non-violence dans le magma politique et religieux de l'Inde de la première moitié du XXe siècle, Gandhi a non seulement transformé le sous-continent indien, mis à genou l'un des empires les plus vastes que la terre ait portés, mais aussi semé une idée qui continue à ce jour d'influencer et d'ordonner la pensée de millions de gens. Autre exemple : l'idée des Droits de l'homme, plongée dans le chaos qui a suivi la Révolution française, a abouti à donner à la société française – puis, par propagation, à bon nombre d'autres – la structure démocratique et nombre des caractéristiques qui sont encore aujourd'hui les siennes.

Chez les individus, ce principe de cristallisation suscite le même phénomène, avec la même puissance ordonnatrice et organisatrice. Semez dans votre tête une idée-force, en veillant à ce qu'elle plonge ses racines profondément dans votre subconscient, et petit à petit, l'air de rien, sans même que vous vous en rendiez compte au début, elle va communiquer sa vibration, c'est-à-dire l'information dont elle est porteuse, à tout votre être. Elle va attirer dans votre vie des rencontres, des occasions, des situations qui lui permettront de se concrétiser, de germer, de croître et de s'épanouir en plénitude. On retrouve d'ailleurs dans la vie de la plupart des grandes figures de l'histoire un tel cristal, avec parfois la trace précise du moment où il s'est introduit dans leur vie et en a bouleversé l'agencement, l'orientation, la finalité. On dit par exemple de saint Ignace de Loyola, souvent qualifié de saint « improbable », qu'il commença par mener une vie où il prenait grand plaisir aux femmes, à la bonne chère et à la boisson, en étant – qui plus est – doté d'un tempérament violent et vaniteux. Il fallut une défaite militaire, une grave blessure à la jambe et une longue convalescence (qui lui permit de beaucoup lire), pour que s'introduise en lui le germe cristallin d'une vie spirituelle mise au service d'autrui, germe qui allait non seulement transformer sa propre vie, mais, par l'intermédiaire de son action et de ses écrits (notamment, ses fameux *Exercices*), toucher des centaines de milliers de personnes.

Ces idées cristallines sont à l'origine de nombreuses vocations religieuses (comme dans l'exemple ci-dessus), scientifiques, artistiques, entrepreneuriales, sportives, politiques... Comme le relevait admirablement Goethe, l'instant où l'on fait sienne une telle idée, où on la plante consciemment en soi en s'engageant à lui assurer les soins nécessaires à sa croissance, a des répercussions dont nous sous-estimons trop souvent la portée : « Il y a, à la base de tout acte d'initiative (et de création), une vérité élémentaire dont l'ignorance tue quantité d'idées et de projets magnifiques : dès l'instant où l'on s'engage totalement, la Providence bouge aussi. Toutes sortes de choses se produisent qui viennent à l'aide de celui qui s'est mis sur sa voie, alors qu'elles ne se seraient jamais révélées autrement. Toute une série d'événements découlant de cette décision se met au service de l'individu, aplanissant les incidents imprévus, favorisant des rencontres et l'assistance matérielle que l'on n'aurait jamais osé rêver d'obtenir. »

Le cristal au cœur du magma, symboliquement parlant, c'est le centre au milieu du cercle, l'axe de la roue autour duquel s'ordonne et s'agence le mouvement de tous les rayons, le noyau d'ADN – porteur d'information – au cœur de la cellule. C'est aussi l'alliance des gamètes masculin et féminin, tous deux nécessaires et complémentaires en vue de la création d'un nouvel organisme, comme le révèle cette expérience : dans les années 1980, des chercheurs ont en effet tenté de créer un être vivant à partir de deux ovules ou de deux spermatozoïdes (prétendument à la demande de couples homosexuels). Dans le cas de deux ovules, ils obtenaient un organisme qui se développait rapidement, mais sans structure définie, et en fin de compte non viable (et surtout, ne ressemblait à rien). Dans le cas de deux spermatozoïdes, il en résultait un organisme hyperstructuré, mais incapable de se développer, lui aussi non viable. Le spermatozoïde joue donc ici symboliquement le rôle du cristal porteur d'ordre et d'information, et l'ovule celui de la matière qui va pouvoir incarner et développer ce germe, et le faire fructifier. L'un sans l'autre ne produit rien du tout.

Au fond, la métaphore du cristal et du magma est celle de la procréation ou de la création sous toutes ses formes. Par exemple, la création de l'univers : on peut considérer que l'introduction de l'énergie cristalline de l'esprit dans le magma informe et indéterminé du cosmos — peut-être au cours de cet orgasme cosmique que fut le big-bang ? — est à l'origine du développement de toutes les formes de vie de l'univers, au sens large (c'est-à-dire en incluant le mouvement des planètes, des systèmes solaires et des galaxies, dont un peu d'humilité devrait nous tempérer dans notre volonté de le taxer de purement mécanique, à la lumière de ces quelques « lacunes dans l'ignorance » que sont nos connaissances scientifiques actuelles).

Chaque acte créateur correspond à la fécondation d'un milieu fertile (une terre féconde, un magma riche de tous les possibles, une matrice, une psyché féconde…) par un germe, un cristal, une idée, une information, une énergie, un esprit. Laissée à elle-même, la matière reste inerte et informe ; de même que, sans matière à laquelle communiquer le sens dont il est porteur, l'esprit demeure un potentiel inactualisé et stérile. Refuser à l'esprit la part qui lui revient dans toute création, comme le fait l'ancien paradigme scientifique par exemple, revient à croire à la génération spontanée, dont ces mêmes scientifiques de la vieille école se gaussent si volontiers…

À leur façon, les symboles, les métaphores et les allégories sont eux aussi des cristaux organisateurs, capables d'ordonner et de donner sens au magma d'informations, de connaissances et d'expériences que nous avons accumulées. À la suite de la publication de *La grenouille…*, de nombreux lecteurs m'ont informé de la façon dont les métaphores du livre, une fois semées dans leur jardin intérieur, avaient soudain apporté un sens nouveau à leur vie, à leurs activités privées ou professionnelles, comme elles l'avaient fait pour moi. La structure de ces métaphores avait communiqué son ordre, sa logique intrinsèque et sa signification à l'ensemble d'informations, de souvenirs et d'expériences propres à chaque personne.

Plus ces « cristaux de sens » sont simples et épurés, comme les symboles géométriques, par exemple, plus l'étendue de leur rayon d'action ou de « contagion » est grande. Faites l'essai. Pendant un mois, par exemple, semez dans votre esprit le symbole du triangle équilatéral parfait. Si, comme moi, vous n'êtes pas un visuel, dessinez-le très précisément sur une feuille de papier et contemplez-le de cinq à dix minutes chaque matin, au début de la journée. Très vite, vous constaterez que sa symbolique ternaire va venir éclairer votre vie quotidienne et donner un sens nouveau à la plupart de vos activités et réflexions. Soudain, tout vous apparaîtra en mode ternaire : les trois phalanges de chaque doigt ; la main, l'avant-bras et le bras ; le mental, le cœur et le corps physique ; le temps, l'espace et la vitesse ; les volts, les ampères et les watts ; la tonique, la dominante et la sous-dominante (en musique) ; la pensée, le sentiment et l'action ; le yin, le yang et le vide médian ; et ainsi de suite. Vous distinguerez tout d'un coup des relations, des significations cachées jusque-là, des éclairages nouveaux, dans tout ce que vous observerez et vivrez .[1]

Les contes, les mythes et les légendes, à un autre niveau, détiennent eux aussi un formidable pouvoir organisateur dans la psyché humaine, que conservaient intuitive-

---

1. À ceux que cette approche intéresserait et qui souhaiteraient l'approfondir, je signale que j'ai élaboré et mis sur mon site Internet un manuel de travail symbolique, Symboles de vie, qui s'étale sur deux ans et consacre six mois à chacun des quatre symboles suivants : le cercle et le point, la croix, le triangle et le carré. L'introduction successive dans notre esprit de chacun de ces symboles élémentaires, qui nous font voir le monde sous l'angle unitaire, puis dual, ternaire et enfin quaternaire, nous fait découvrir à chaque fois de nouveaux aspects du monde qui nous entoure, qui nous échapperaient sinon. Pour en savoir plus : http://www.olivierclerc.com/dossiers/cat.php?idcat=60

ment de nombreuses cultures d'autrefois dont ils étaient l'un des ferments essentiels. De nos jours, le Dr Lewis Mehl-Madrona, d'origine moitié américaine et moitié amérindienne, ayant bénéficié d'une double formation à notre médecine occidentale et à diverses médecines indigènes et chamaniques, se sert précisément de la puissance ordonnatrice des contes pour guérir ses patients d'un large éventail de pathologies. *La médecine narrative*[1] dont il est l'un des héros — et dont l'efficacité a été vivement saluée par le Dr David Servan-Schreiber, entre autres — consiste à aider le malade à changer le sens qu'il donnait à sa vie, à modifier la thématique centrale en fonction de laquelle il interprétait jusque-là tout ce qui lui était arrivé… et qui débouchait sur un état pathologique. On ne peut pas changer des événements passés, mais on peut en revanche modifier le sens qu'on leur donne, insérer un autre cristal organisateur au milieu de la matrice de nos souvenirs : et de même qu'en changeant le code génétique d'un organisme on en modifie le fonctionnement, en injectant par un conte adapté un nouveau sens dans le passé d'un individu, toute sa vie prend une nouvelle direction et qui peut du même coup passer de la maladie à la santé. À mes yeux, les travaux du Dr Mehl-Madrona contiennent un message d'une portée phénoménale : il nous révèle un espace de liberté et de création qui, du statut de victime des circonstances de la vie que certains s'estiment être, permet

---

1 Pour en savoir plus, lire *La Médecine narrative* et *Ces histoires qui guérissent*, du Dr Mehl-Madrona, aux éditions Trédaniel.

de passer à celui de cocréateur conscient : oui, le destin nous impose parfois des événements que nous n'avons pas désirés ; mais, non, nous ne sommes pas condamnés à simplement les subir, il nous reste ce choix immense du sens dont nous pouvons décider de les féconder, ce sens qui déterminera en grande partie l'existence que nous aurons ainsi contribué à nous créer.

Cet espace de liberté reste malheureusement encore assez méconnu, faute d'occasions d'apprendre à modifier le cristal que nous insérons dans notre magma, c'est-à-dire à changer notre interprétation des mêmes événements. Le sens de ce que nous vivons nous semble généralement imposé, comme si les événements étaient porteurs en eux-mêmes d'une signification prédéfinie. Mais ce sont notre culture, notre éducation et nos expériences passées qui déterminent le sens qui s'imposera spontanément à nous dans chaque situation. Le travail régulier avec les symboles, porteurs de sens, peut considérablement nous aider à conquérir cette liberté intérieure – la plus importante de toutes – qui nous affranchit des circonstances extérieures en nous restituant la capacité de leur imprimer une signification choisie.

Il serait souhaitable que l'école réserve une place à l'apprentissage du langage des symboles – à travers les mythes, contes et légendes, la symbolique sous ses diverses formes –, car il développe l'intelligence métaphorique de l'hémisphère cérébral droit. Cette dernière apporte en effet un complément indispensable aux fonctions analytiques de la raison et de l'hémisphère gauche, surdéveloppées dans le système éducatif actuel. Les symboles sont des clés – autre métaphore – qui nous donnent accès à des niveaux de signification, tant de nous-mêmes que de la nature, du monde et des événements auxquels nous sommes confrontés, qui échappent à l'approche logique et rationnelle. Or nombre de génies et illustres inventeurs – Einstein, Kekulé, Jung, etc. – savaient précisément faire appel à cette vision symbolique et métaphorique des choses, et c'est précisément cela qui leur a permis de faire les découvertes majeures dont nous bénéficions tous.

La métaphore du cristal et du magma nous parle aussi, à sa façon, de qualité et de quantité, bien sûr. Elle montre qu'une chose aussi minuscule, quantitativement parlant, qu'un fragment de cristal, suffit à transformer des quantités importantes de matière inorganisée. Elle illustre en fait le pouvoir de l'*information* : un cristal, une cellule sexuelle, un brin d'ADN, un symbole, tous sont porteurs d'une information, immatérielle. Cette énergie peut influencer ce qu'il y a de plus solide et matériel. Il est bon de se le rappeler quand on se sent impuissant et démuni face à des forces et pouvoirs numériquement beaucoup plus importants que les nôtres. La bonne information introduite au bon endroit peut bouleverser l'ordre des choses. Ce sont des idées, des cristaux d'information, une minorité de dissidents porteurs d'un autre sens, qui ont fait tomber le mur de Berlin et mis fin à l'empire soviétique, et non des divisions de chars d'assaut ou des régiments d'infanterie. Ce n'est pas tout. Le cœur de cette métaphore, c'est un cristal. D'où viennent la dureté et la beauté d'un cristal ? Sa pureté (les impuretés le fragilisent et font obstacle à la lumière) et la simplicité de sa structure chimique (songez au diamant, constitué de carbone pur). Toute information n'est pas nécessairement cristalline, à cet égard. Toutes les informations ne se valent pas non plus et n'ont pas le même potentiel transformateur. Toutes n'ont pas la même simplicité, toutes ne sont pas exemptes de certaines impuretés : de même que des taches peuvent ternir un cristal, des intérêts bassement personnels peuvent se mêler à des idées nobles, altruistes et désintéressées, et en affaiblir la puissance et la portée. Un cristal pur ne garde pas la lumière pour lui, il la laisse le traverser ; de manière analogue, une idée aura d'autant plus de rayonnement qu'elle ne servira pas de prétexte à ceux qui la défendent à capter égoïstement les énergies qu'elle attirera.

La métaphore du cristal et du magma se prête, on le voit, à un riche éventail d'applications. Elle peut nous aider à retrouver toute notre puissance créatrice, notre fécondité intellectuelle et spirituelle, et même notre pouvoir thérapeutique… pour peu que nous prenions le temps d'en semer l'idée cristalline dans notre esprit !

La capitale et le pays : le pouvoir est au centre

Autrefois, lorsqu'un seigneur lançait ses troupes à l'assaut d'un autre pays, il n'essayait pas de le conquérir village par village et ville par ville, ce qui aurait pris un temps considérable et épuisé inutilement son armée. Il s'efforçait de prendre au plus vite la capitale (de *caput*, la tête), siège du gouvernement et des instances dirigeantes du pays. Une fois la capitale tombée, dans la majorité des cas le pays *décapité* se rendait et se soumettait au vainqueur. Ensuite, depuis le centre dont il s'était emparé, le nouveau seigneur imposait sa loi, sa religion et ses idées à tout le territoire et au peuple ainsi conquis.

Cette stratégie est l'application militaire d'un principe très général : tout part du centre, de sorte qu'en contrôlant le centre on contrôle toutes les parties qui en dépendent. C'est au centre que se trouve le pouvoir, c'est du centre que partent les ordres, c'est le centre qui informe, influence, organise, ordonne, dicte le sens.

Au squash, par exemple, le joueur qui tient le centre du court a l'avantage : il peut balader son adversaire aux quatre coins du terrain, le forçant à courir en tous sens et à s'épuiser, tout en minimisant ses propres déplacements et ses efforts. Il en va de même dans d'autres sports à deux ou en équipe où la victoire dépend en grande partie d'une bonne maîtrise du centre du terrain.

De même aux échecs : en début de partie, en particulier, il est crucial de prendre le contrôle du centre de l'échiquier. On peut à la fois mieux attaquer son opposant – les pièces principales ont toute latitude de bouger dans toutes les directions – et mieux protéger ses propres pièces, vers lesquelles il est également possible de revenir rapidement, au besoin.

En matière de communication, maîtrisent le centre ceux qui contrôlent ou détiennent les médias : un grand quotidien ou une chaîne de télévision, par exemple, assure un pouvoir et une influence considérables sur les centaines de milliers ou les millions d'individus qui s'y réfèrent. Ce n'est pas un hasard si les directions des chaînes de télévision et de radio, mais aussi de la presse, figurent parmi les premières cibles contrôlées lors d'un coup d'État. De ces centres névralgiques, il est possible de maîtriser toute l'information qui parvient à l'ensemble de la population. De manière analogue, si l'on assiste depuis quelques années à une telle « *concentration* » des médias en un très petit nombre de mains, dans le monde, c'est précisément pour accroître encore ce pouvoir et ce contrôle dont certains doivent rêver qu'ils ne dépendent un jour plus que d'un seul centre, quitte à conserver une diversité de façade – plusieurs titres, plusieurs chaînes – en réalité aux mains d'une seule et même direction. Internet présente heureusement un contrepoids à cette centralisation, bien que la multiplicité des informations qu'il présente, et leur ordre, tendent à en minimiser l'impact par rapport aux gros médias en place.

Cette prise de contrôle du centre se retrouve dans d'autres domaines très différents. En physique, par exemple, la recherche s'est concentrée depuis longtemps sur ce qu'il y a de plus central dans la matière : l'atome, puis au sein de l'atome, son noyau. C'est là que se trouvent les clés de la matière, là que réside une puissance considérable, comme le démontre le pouvoir nucléaire (*nucleus* = noyau) qu'on a réussi à libérer. Partie de l'observation des phénomènes les plus ordinaires et les plus évidents, la physique progresse résolument vers ce centre de la matière. Chose intéressante – nous y reviendrons tout au long de cette métaphore – ce centre se révèle de moins en moins matériel : il est avant tout composé d'énergie, et le comportement étrange des particules atomiques (et plus encore subatomiques) a conduit plus d'un illustre physicien à s'intéresser à la littérature spirituelle du monde, et plus particulièrement d'Asie.

Autre exemple : dans un fruit, où se trouve la puissance germinative et reproductive ? Dans le noyau, encore une fois, dans les pépins. Pas dans la peau ni dans la chair. Tout le potentiel vital est concentré au milieu, où il peut rester latent très longtemps, avant que les conditions favorables lui permettent de s'éveiller et de développer toute sa puissance germinative. Les puristes argueront que dans certains fruits, les semences sont à l'extérieur (les fraises, par exemple), et c'est vrai : la nature est d'une diversité incroyable. Mais nous ne cherchons pas ici à construire un système, simplement à repérer quelques principes utiles pour notre vie... même si la nature prend occasionnellement plaisir à les mettre sens dessus dessous, comme pour nous éviter de devenir dogmatiques.

Et en biologie, à quoi s'intéresse-t-on plus que tout ? Au noyau de la cellule, là où se trouve le fameux ADN, le code qui détermine tout le développement des organismes. Connaître ce code, le déchiffrer, le modifier permet de contrôler le vivant : rien que ça ! Changez quelques séquences du code génétique d'une plante ou d'un animal, et certaines de ses caractéristiques se modifient. Au risque de quelques mauvaises surprises par la suite, d'ailleurs, car les gènes ne sont pas des Lego, et nul ne peut prédire tous les changements qu'induira une modification infime de leur agencement. À leur manière, les généticiens cherchent eux aussi à prendre la capitale symbolique de la cellule. Et même s'il se révèle dangereux à manier, le pouvoir est aussi là, dans le centre.

Prenons maintenant la médecine psychosomatique : quel but poursuit-elle ? Agir sur le psychisme de l'individu, partant du principe que les problèmes qui en perturbent le bon fonctionnement sont responsables des dérèglements qui se propagent à partir de notre centre nerveux principal – le cerveau – à tous les organes et fonctions du corps. Au lieu de traiter la périphérie, le symptôme, le corps, elle vise à remonter jusqu'au centre, où se trouve la cause primordiale : comme le seigneur de notre métaphore, si elle parvient à accéder au centre, à changer les informations et instructions qui en émanent, la médecine psychosomatique peut modifier la gouvernance du « pays », la gestion du corps, et à soigner certaines maladies, comme ses résultats le prouvent amplement.

De manière analogue, la plupart des disciplines spirituelles visent à permettre à l'individu de rétablir un lien conscient avec son centre le plus fondamental, le plus essentiel, au-delà même du cerveau et de la psyché ordinaire : son âme, son esprit, le principe le plus subtil qui l'anime. Celui qui y parvient, l'« éveillé », l'être qui a atteint l'illumination, transforme du même coup tout son être : son corps physique, son état émotionnel, mais aussi ses pensées, son mental. Ces gens-là ne courent pas les rues, c'est entendu, parce que atteindre ce centre-là ne se fait pas du jour au lendemain : mais plus on remonte haut, de centres inférieurs en centres supérieurs, plus les effets par cascade sont nombreux et affectent tous les niveaux de l'être.

Que l'on cherche à contrôler le noyau de l'atome, celui de la cellule et l'ADN, le cerveau et la psyché, ou encore le soi – l'esprit sous sa forme la plus subtile –, on retrouve sur différents plans une même tentative de « prendre la capitale », de toucher le centre, le point névralgique qui, par répercussion, permet d'influencer le « pays », le corps, l'individu tout entier. Toutefois, la stratégie sous-jacente de « prise de contrôle du centre » n'est pas toujours claire dans l'esprit de ceux qui la mettent exclusivement en œuvre dans un domaine spécifique de leur vie ou de leur activité professionnelle, sans quoi ils l'appliqueraient dans tous les aspects de leur vie, au lieu de se limiter à un seul. D'où l'intérêt de la mettre en évidence ici, de manière à pouvoir en multiplier les applications dans notre vie.

Quel que soit le domaine de notre vie concerné, nous pouvons faire comme le seigneur de cette métaphore et viser immédiatement le centre, l'identifier, le faire nôtre au besoin, afin d'en utiliser les connaissances et le pouvoir qui en découlent. Nous y gagnerons en temps, en efficacité, en clarté et en impact. En voici quelques exemples.

« Charité bien ordonnée commence par soi-même », dit-on. Alors, posons-nous tout d'abord la question : « Quel est mon centre à moi ? » En ai-je un, même ? Y a-t-il quelque chose de central autour duquel gravite toute ma vie et qui, comme l'essieu d'une roue, permet à toutes les composantes et activités de mon existence de s'organiser harmonieusement autour… ? Autrement dit, vers quoi tend toute ma vie ? Qu'est-ce qui cherche à se réaliser à travers moi ? Qu'est-ce qui, au fin fond du fond, détermine mes buts, mes aspirations, ce pour quoi je me lève, chaque matin ? Quelle est ma mission, ma légende personnelle ? C'est cela, le centre de mon existence, autour duquel tout le reste s'ordonne et s'articule. Plus j'ai conscience de mon propre centre, plus je suis du même coup sensible à ce qui ordonne toute activité à laquelle je m'intéresse, et plus je parviens ainsi à me fixer directement dessus, sans me perdre dans les détails. Inversement, si je n'ai pas de centre clairement identifié, je suis comme un pays désorganisé dont la capitale n'est pas encore fixée, tiraillé entre des diktats fluctuants, tant internes (les appels du cœur, de la tête, de l'esprit, du ventre, du sexe…) qu'externes (les demandes des autres : conjoint, enfants, patron, employés, voisins, etc.).

La recherche de notre centre ressemble à l'épluchage d'un oignon couche par couche, ou encore aux poupées russes dont on croit parfois avoir trouvé la plus centrale, la plus petite… avant de découvrir encore un niveau plus profond. Par exemple, je peux estimer que mon centre est ma réussite professionnelle, et organiser mes contacts, mes loisirs, toutes mes activités, de manière à ce que tout concoure à me faire avancer dans ma carrière. Mais, comme une roue dont l'essieu ne serait pas parfaitement au milieu et qui, dès lors, lui imprimerait une rotation chaotique, je découvrirai sans doute par la suite que ce centre-là déséquilibre d'autres aspects de mon existence, comme ma vie familiale, par exemple. Je peux alors faire de mon épanouissement à la fois professionnel et privé mon nouveau centre… Avant de découvrir, peut-être, qu'il a certes apporté des améliorations, mais qu'il est trop personnel et néglige la dimension collective, la société dans laquelle je vis… dont je ne suis pas le centre. Et ainsi de suite, de cercles en cercles toujours plus larges, en quête d'un centre toujours plus profond, plus équilibré.

L'idéal serait sans doute de chercher délibérément à se réaliser dans toutes les dimensions de notre être, sans rien négliger, de façon à ce que chaque instant de notre vie — travail, vie de famille, loisirs, vacances, sports, etc. — soit une occasion de grandir, d'apprendre, d'évoluer, de réaliser tout notre potentiel. À travers ce qui ne « tourne pas rond » dans notre existence, à telle ou telle période, et au fil des ajustements que nous sommes ainsi amenés à faire, c'est un peu vers cela que notre parcours de vie nous conduit, finalement.

Une chose est certaine : notre centre joue un rôle déterminant, puisque tout le reste — la périphérie — se positionne et s'articule plus ou moins harmonieusement en fonction de cet essieu de notre roue de la vie. Plus il est clair et conscient, plus il est stable et constant, plus chaque chose trouve sa place dans notre existence.

Quelqu'un de centré est quelqu'un de *concentré*, qui sait faire converger tous les moyens et les ressources à sa disposition vers un but précis : le centre donne un sens à sa vie, de même que l'essieu coordonne le mouvement de tous les rayons qui sont fixés sur lui. Quelqu'un de centré est aussi plus réceptif au centre d'autrui, aux buts, aux principes, motivations ou idéaux qui animent les autres : personnes, entreprises, associations, activités diverses. Son propre centre conscient identifie plus rapidement celui de tout ce qui l'entoure.

Il existe un exercice de centrage très simple et particulièrement efficace : au compas, dessinez un cercle parfait d'une dizaine de centimètres de diamètre, sur une feuille A4, et marquez-en également très nettement le centre. Vous pouvez également copier/coller/ agrandir sur Internet le symbole du soleil, en astrologie, qui est précisément un cercle avec un point en son centre. Posez cette feuille devant vous, à hauteur des yeux, et concentrez-vous dessus, le regard fixé sur le point central, chaque matin pendant cinq à dix minutes. En faisant cela, dites-vous que vous vous liez au noyau de votre être, à ce qu'il y a de plus central et d'essentiel en vous, à ce qui anime et dirige votre vie. Vous serez étonné du résultat, au bout de quelques semaines seulement. Par leur structure parfaite, les formes géométriques exercent une influence profonde sur notre être, d'où l'usage des symboles que l'on retrouve dans de très nombreuses traditions : la simple contemplation de ce cercle parfaitement centré, chaque matin, contribue sensiblement à clarifier et à renforcer notre propre centre.

Dans le monde de l'entreprise, pour passer à un autre registre, le centre est ce que l'on appelle la « mission » de la société, son but, le sens même de son existence, la finalité des produits ou services qu'elle propose. En tant qu'employé, celui qui veut progresser dans une entreprise a tout intérêt à en prendre symboliquement le centre, pour mieux le concrétiser dans sa tâche particulière : plus il s'approche en pensée de ce centre et s'en approprie les principes, plus il a de chances de s'en approcher physiquement en grimpant les échelons de la hiérarchie. Le vendeur qui travaille seulement pour payer ses factures, celui qui cherche surtout à faire du chiffre ou celui qui vend avec passion parce qu'il est convaincu de l'utilité des produits qu'il propose et de la mission de la société qui l'emploie ne dégagent pas tous les trois la même énergie, ni avec leurs clients ni dans leurs rapports avec leurs supérieurs. Le troisième a plus de chances de se retrouver un jour chef de réseau ou directeur commercial que les deux autres. Il incarne l'esprit de son entreprise, ce qui le conduit naturellement à se rapprocher du centre, de la direction, et à assumer plus de responsabilités.

Dans un corps humain, chaque cellule contient de l'ADN, cette double hélice dans laquelle est inscrit le code de notre être, c'est-à-dire l'essence même de ce que nous sommes. De manière analogue, une entreprise performante est celle où chaque employé – et pas seulement la direction ou les responsables –, à tous les échelons de la société, est porteur de son « ADN », c'est-à-dire du sens et de la mission de cette entreprise. C'est précisément le rôle des dirigeants de faire en sorte que chacun, quelle que soit sa tâche, se sente une expression de ce but, se l'approprie et en imprègne son travail : c'est ce qui donne force, unité et cohésion à leur société. Une entreprise harmonieuse et efficace est comme une roue dont tous les rayons sont directement rattachés au moyeu, c'est-à-dire à ce qui en ordonne le mouvement, l'action.

Que l'on parle de l'ADN au cœur de la cellule, de l'énergie nucléaire au centre de l'atome, des objectifs et idéaux personnels qui dirigent notre vie ou de la mission d'une entreprise, on constate que le centre possède chaque fois une particularité spécifique qui le distingue de ce qu'il ordonne. En effet, le centre représente toujours l'esprit, l'énergie, l'information, le sens, qui vient ordonner la matière, la structure, la forme. L'ADN, c'est l'information qui régit tout l'organisme. L'énergie nucléaire, c'est la force qui ordonne la matière. La mission d'une entreprise, c'est le sens qui détermine son activité. Les buts et idéaux que je me fixe, ce sont les axes autour desquels je choisis d'organiser ma vie. Chercher le centre, vouloir le conquérir, le posséder, c'est aller à l'essentiel, à l'énergie, à la force, l'esprit qui anime les choses. C'est remonter vers ce qu'il y a de plus subtil, de plus spirituel, de plus intangible, ce dont tout le reste dépend. Quel est le moteur de notre corps, de nos muscles de chair ? Un courant électrique qui les parcourt, beaucoup plus subtil, émis par le cerveau. Qu'est-ce qui active à son tour ce courant ? Une pensée, une envie, une intention, c'est-à-dire quelque chose d'encore plus intangible que l'électricité.

Observez un évier qui se vide : l'eau tourne, tourne, puis quand elle arrive au centre, elle s'échappe par le bas : symboliquement parlant, le centre permet à l'eau de passer dans un autre espace, une autre dimension. Regardez une roue qui tourne à plat : ses rayons tournent sans fin de droite à gauche, dans le plan ; mais l'axe central de la roue, lui, est à la verticale, il se situe dans un autre plan. C'est parce que l'axe est vertical et immobile que la roue peut être en mouvement à plat. Le centre, c'est la porte d'accès à une autre dimension, comme le cyclone qui aspire les choses au sol et les propulse dans le ciel, comme le cordon ombilical qui relie la mère au bébé et lui communique tout ce qu'il lui faut pour son développement. C'est par le centre que l'esprit s'incarne dans la matière, que l'information se communique à la cellule, que les ordres sont adressés à tout l'organisme. Le centre est une ouverture par laquelle se glisse l'essentiel, le subtil, l'esprit qui informe et structure le tout.

Le centre, c'est encore le point de jonction entre le visible et l'invisible, entre spirituel et matériel. C'est, symboliquement (mais aussi littéralement) parlant, la pupille de l'œil par laquelle pénètre la lumière intangible qui forme une image bien concrète sur notre rétine. C'est en quelque sorte le lieu où les choses s'incarnent, prennent forme, informent, et passent du virtuel, du potentiel, au réel.

Prendre le centre, c'est donc contrôler cette ouverture, ce lieu de passage entre ces deux plans – l'idée et sa réalisation, le possible et le manifeste –, et donc pouvoir exercer le maximum d'influence sur ce qui va effectivement s'incarner, se réaliser dans la matière.

Imaginez qu'un arbre soit malade : allez-vous le soigner feuille après feuille, branche après branche – c'est-à-dire vous occuper de toute la périphérie de l'arbre –, ou plutôt tenter d'introduire dans la sève qui parcourt son tronc, c'est-à-dire en son centre, un remède qui puisse ensuite se propager à tout son feuillage… ? Dans tous les domaines, il en va de même : avoir une action sur le centre est le moyen le plus efficace d'avoir un impact sur le tout. C'est aussi – plus prosaïquement parlant – le principe de la pyramide de champagne dont il suffit de remplir la première coupe, au sommet, pour que toutes celles en dessous finissent par se remplir à leur tour.

La capitale que prend le seigneur de notre métaphore n'est donc pas seulement ni même essentiellement un lieu géographique (rarement situé au centre réel du pays, d'ailleurs) : c'est avant tout un centre stratégique et névralgique d'où partent les ordres, les lois, le pouvoir qui assurent l'unité et la cohésion d'un pays. Ce n'est pas un hasard si tant de forteresses étaient construites en haut de collines, de montagnes, voire de falaises. Le pouvoir vient d'en haut. Pour l'acquérir, on en gravit les échelons. Le sens aussi vient d'en haut : on s'élève pour chercher un sens à sa vie, à ce qu'on fait. *Le* pouvoir, *le* centre, *le* sens : le singulier indique justement qu'on a quitté la multiplicité, la diversité, la confusion, pour atteindre l'unité. La recherche du centre est la quête de la source, de l'origine, du point d'où découle tout le reste, la multitude, la pluralité. En physique, en biologie, en psychologie, on s'efforce donc de comprendre d'où viennent la vie, la matière, le sens, la conscience. Et cette quête va du complexe au simple, des faits aux lois, des effets multiples à des causes moins nombreuses, jusqu'aux principes premiers.

Notons d'ailleurs que cette quête du centre, des centres successifs toujours plus élevés, apporte à terme bien plus que la maîtrise d'un domaine particulier, aussi intéressante soit-elle. En effet, comme nous l'avons vu, il s'agit d'une quête spirituelle, puisqu'elle nous conduit, dans toute situation, dans tout système, partout, à rechercher l'esprit qui anime les choses et les êtres, à discerner leur énergie, leur dimension subtile. À la longue, cette attitude nous pousse progressivement à nous détacher des formes, à dépasser les apparences, à ne plus nous identifier à une structure ou à un système particulier pour percevoir l'énergie spirituelle commune qui les anime sous leur infinie diversité. Plus on s'identifie au centre, plus on comprend tout ce qui lui est relié. Regardez une roue de vélo tourner : certains rayons semblent monter, d'autres descendre ; certains partent vers la gauche, d'autres vers la droite. C'est le centre de la roue qui permet de comprendre comment ces mouvements apparemment contradictoires contribuent en réalité à sa rotation harmonieuse. Dans le corps humain coexistent des organismes aérobies et anaérobies : le milieu vital des uns est létal pour les autres, mais ils contribuent pourtant ensemble à notre vie et à notre santé, parce que leur activité est orchestrée par un même centre. Là où une vision superficielle discerne des incompatibilités, des conflits, des oppositions, la perception du centre permet souvent de voir la complémentarité, l'interconnexion, l'interdépendance.

Dans les initiations chamaniques d'hier et d'aujourd'hui, comme dans le travail en état de conscience modifié que permettent diverses formes actuelles de thérapie « expérientielle »[1] , l'un des objectifs poursuivis était précisément de permettre au jeune initié d'extirper momentanément sa conscience de lui-même, de son corps et de son ego, et de la dilater jusqu'à atteindre une identification avec d'autres formes de vie, voire avec la nature, la terre ou le cosmos tout entier. Après avoir ainsi atteint le centre même d'où émane toute vie, toute conscience – avec

1 Sur ce sujet, lire notamment les œuvres du Dr Stanislav Grof, qui a passé cinquante ans à explorer la conscience humaine, et en particulier ses deux derniers ouvrages, Quand l'impossible arrive et L'Ultime Voyage, aux éditions Trédaniel.

ce que d'aucuns nommeraient le « divin », sans toutefois lui attribuer de forme particulière –, l'individu ne pouvait plus jamais se contenter de la perception limitée qui était la sienne auparavant : même s'il ne conservait pas à chaque instant la conscience du centre, acquise au cours de son initiation, le seul fait de l'avoir vécue modifiait à jamais sa perception de lui-même au sein du cosmos et de son rapport avec tout ce qui vit à la surface de la planète.

Au-delà de nos objectifs personnels et professionnels, il existe en nous une quête de sens, une quête de centre – consciente ou non – qui influence un grand nombre de nos choix. En prenant l'habitude de toujours viser le centre, dans tout ce que nous faisons, nous développons consciemment cette fonction qui nous permet ensuite d'infuser plus de sens et de conscience dans tout ce que nous entreprenons. Plus on remonte vers un centre toujours plus élevé et plus vaste, plus on peut ensuite redescendre dans le concret et embrasser la diversité des gens, des situations, des choses, avec une compréhension plus large.

Je comparerai cela, pour terminer, à un phénomène qui m'avait frappé les premières années de mon installation en France, voilà plus de vingt ans : le passage obligé par Paris. J'étais en effet étonné de constater que presque tous mes amis et collègues avaient à un moment ou un autre étudié ou travaillé à Paris, quel que soit l'endroit où ils avaient grandi. Il y avait là, à mes yeux, quelque chose de symbolique, comme un rituel culturel : être « monté à Paris » (qu'on y vienne du nord ou du sud, d'ailleurs !), avoir vécu la vie du centre, avant de revenir d'où on était parti ou de s'installer ailleurs, en « province », à la périphérie. Peu de pays au monde, d'ailleurs, sont structurés aussi fortement que la France autour d'une capitale. De manière analogue, quelque chose en nous aspire à ce « passage obligé » par le centre, par notre capitale spirituelle, par ce lieu où tout converge et prend sens, une expérience à laquelle chacun peut ensuite donner le nom qu'il veut : peu importe les appellations, seul compte ce chemin personnel qui nous permet de sortir momentanément de nos limites existentielles, d'atteindre l'essentiel, et de revenir ensuite à nos habitudes, enrichi d'une nouvelle perspective.

L'allégorie des douze photographes :
se libérer de l'opinion d'autrui

Imaginez que vous ayez commandé un cliché de vous à douze photographes. Vous leur avez donné rendez-vous dans un grand studio, moyennement éclairé par la lumière du jour. Vous êtes assis au milieu de la pièce sur un tabouret.

Chaque photographe a apporté son propre appareil. L'un a un zoom, l'autre un objectif macro, tel autre un grand-angle. De plus, des filtres différents (UV, polarisant, etc.) équipent les appareils. Toutes les pellicules sont de sensibilité différente, de 100 à plus de 1 000 Asa. Certains utilisent des flashs, d'autres pas.

Pour vous photographier, chacun d'eux adopte un point de vue ou un angle différent : l'un se met à votre droite, l'autre à votre gauche, un troisième derrière vous, un autre devant, tandis que certains utilisent des échelles et échafaudages pour vous prendre de haut, sous divers angles.

Chaque photographe choisit son éclairage pour son cliché : éclairage naturel, un ou plusieurs spots, flash ou non, lumière directe ou indirecte, etc. Il choisit aussi son temps d'exposition et l'ouverture du diaphragme.

Au final, sur les douze photos réalisées, il n'y en aura pas deux identiques. Sur l'une vous êtes de profil, avec une ombre à gauche et seule la partie droite du visage éclairée ; sur une autre l'ombre est à droite. Certains clichés sont en noir et blanc, d'autres en couleur, d'autres encore sépia. Telle photo est surexposée, vous y êtes tout pâle ; telle autre, au contraire, sous-exposée : vous êtes si sombre qu'on distingue mal vos traits. Sur l'une on ne voit que votre œil, en macro. Sur une autre, prise au grand-angle de trop près, votre visage est méconnaissable. Plusieurs clichés sont flous, résultat d'un temps d'exposition trop long. Certains aussi sont bien cadrés, éclairés avec talent et très réussis. En fait, il y a vraiment de tout, du pire au meilleur, du moins ressemblant au plus représentatif de vous. Chaque photographe, quand il vous tend sa photo, dit : « Voilà comment tu es ! »

Après les deux premiers chapitres consacrés au centre et à son influence, cette allégorie inverse la situation et aborde la périphérie : quoi de plus périphérique en effet, de plus excentré et extérieur à notre moi profond, que l'opinion qu'autrui se forge de nous… à laquelle tant de gens sont pourtant si susceptibles ?

De la même manière que nous nous regardons plusieurs fois par jour dans une glace, pour vérifier notre allure (« Je n'ai pas une mèche folle ? Une tâche sur ma chemise ? Un bouton sur le visage… ? »), sans oublier les vitrines de magasins et les vitres de voiture où nous épions subrepticement notre reflet, nous utilisons fréquemment l'opinion des autres comme un miroir. Pour éviter une opinion défavorable, combien sommes-nous à modifier ce que nous sommes, ce que nous pensons, ce que nous faisons ou pas ?

Qui n'est pas sensible à l'opinion des autres, ne serait-ce que dans un domaine ? Chez les uns, ce sera l'apparence : leurs vêtements, leur coiffure, leur maquillage. Chez les autres, plutôt la façon d'éduquer leurs enfants, leur vie de couple ou encore leurs choix professionnels. L'opinion d'autrui peut encore influencer nos goûts littéraires, musicaux, cinématographiques…

Combien de gens s'empêchent de faire certaines choses, par peur du quand dira-t-on ? Inversement, combien se forcent à en faire, pour se conformer à l'opinion d'autrui ?

Posez-vous vous-même la question : *Que perdez-vous à dépendre de l'opinion des autres ?* Et donc : *Que gagneriez-vous à être libre de l'opinion d'autrui ?* Imaginez l'espace d'un moment ce que serait votre vie, si vous étiez vraiment libre de l'opinion d'autrui. Que feriez-vous que vous n'avez jamais fait jusqu'ici ? Changer de look ? Dire vraiment ce que vous avez sur le cœur ? Et qu'arrêteriez-vous de faire, si vous ne redoutiez plus l'opinion d'autrui ? D'être gentil(le) ? De vous conformer aux attentes de votre entourage ? De refouler vos émotions et vos sentiments… ?

Les douze clichés que les photographes ont pris de vous représentent précisément douze opinions différentes que l'on peut avoir de vous, selon le point de vue duquel on se place, selon la sensibilité propre à chacun, par rapport à vos qualités et à vos défauts, et selon les valeurs personnelles à l'aune desquelles on vous mesure :

— certains de vos proches ne voient que vos défauts : ils vous prennent toujours à contre-jour et se trouvent dans le sillage de votre ombre ;
— d'autres ne vous trouvent que des qualités : ils sont du côté de la lumière et ne voient pas l'ombre qui se projette derrière vous ;
— d'autres encore ont une vision plus nuancée de vous : ils ne se contentent pas d'un seul éclairage ; ils ont multiplié les spots et les projecteurs, et pris plusieurs clichés sous des angles différents. Ainsi, ils discernent mieux vos reliefs, vos qualités et vos défauts ;

— il y a des gens qui ont l'esprit tordu : la lentille difforme de leur appareil vous fait apparaître monstrueux à leurs yeux ;

— certains exagèrent tout, vos défauts comme vos qualités : armés d'un seul objectif macro, ils perçoivent tout plus grand que nature ;

— l'hypersensible réagit aux plus petits éclats de votre personnalité, la pellicule à 1 000 Asa qu'il utilise étant d'une très grande sensibilité à la lumière…

— quant au lourdaud de service, lui n'a qu'une idée très approximative de qui vous êtes : non seulement sa pellicule manque de sensibilité, mais voilà longtemps que son objectif n'a pas été nettoyé !

Cette allégorie illustre la différence entre trois choses différentes que nous confondons fréquemment, la réalité, le point de vue et l'opinion :

— la réalité, dans le cas présent, c'est vous ;

— le point de vue, ce sont toutes les conditions qui déterminent chacune des prises de vue : le positionnement de chaque photographe par rapport à vous, le choix de son objectif, l'éclairage utilisé, la sensibilité de sa pellicule ;

— et l'opinion, c'est la photo qui en résulte.

Toute opinion dépend du point de vue duquel on se place, c'est-à-dire de la perspective d'après laquelle on regarde les choses. « Une montée est une descente vue d'en bas », plaisante-t-on. À l'évidence, la même pente apparaît comme une montée à celui qui se trouve en bas et comme une descente à celui qui est en haut.

L'opinion change donc en fonction du point de vue que l'on adopte.

« Opinion » et « point de vue » sont pourtant couramment confondus. On entend par exemple souvent dire, « Donnez-moi votre point de vue », alors que vous ne pouvez donner qu'une opinion. Vous pouvez en revanche *expliciter* le point de vue à partir duquel vous avez élaboré votre opinion, inviter vos auditeurs à se mettre « à votre place », pour voir les choses sous le même angle… et éventuellement à modifier leur opinion en fonction.

De même, on assiste tous les jours dans les médias – en particulier à la radio et à la télévision – à des « débats d'opinion », pourtant stériles par définition. En effet, sauf mauvaise foi ou malhonnêteté avérées, une opinion est généralement vraie *du point de vue de celui qui l'émet* :

— celui qui regarde la paroi d'une bulle de verre et affirme, « Elle est concave », a raison… *s'il se trouve à l'intérieur* ;
— celui qui rétorque « Non, elle est convexe ! » a également raison… *s'il la regarde de l'extérieur*.

La dispute entre ces deux personnages semble ridicule dans un exemple volontairement aussi simpliste, mais elle l'est tout autant dans la plupart des conflits d'opinion où l'on ne prend pas davantage le temps d'identifier les points de vue respectifs des protagonistes. Il faut dire que le conflit est très médiatique : rien de tel, pour augmenter l'audimat, que des individus qui joutent verbalement, fût-ce de façon parfaitement stérile, et d'autant plus passionnément que le précieux temps d'antenne leur est compté !

Chacun décrit donc la même situation à partir de points de vue opposés, sans que ceux-ci soient clairement explicités, sans que personne cherche à comprendre la perspective de l'autre (d'où découle son opinion), ni qu'on l'invite à adopter temporairement un autre point de vue.

Dans le cas de la bulle de verre, une tierce personne avec un peu de recul verrait la pertinence relative de chaque opinion et inviterait les deux protagonistes à voir les choses de cette tierce perspective, qui restaure à chacun sa part de vérité. De manière analogue, les conflits d'opinion devraient être l'occasion pour les deux parties de quitter leur point de vue limité pour en adopter un plus élevé, plus englobant, d'où émanerait un avis moins partial. Encore faut-il avoir la souplesse de changer de point de vue : on dit que la pensée a des ailes, ce qui est vrai, mais elle est parfois comme un oiseau enfermé dans une cage dont les barreaux sont des opinions à jamais cristallisées.

Trois conclusions importantes peuvent donc être tirées de ce qui précède. Premièrement, *un point de vue unique fournit toujours une perception limitée d'une situation donnée.* Il faut deux yeux pour voir en relief : avec un seul œil, on estime mal la distance et le positionnement des choses. De même, il faut au moins deux spots disposés face à face pour éclairer un objet sans créer d'ombre : chaque spot annulera l'ombre créée par l'autre. Donc, plus le nombre de points de vue (le nombre de spots) que nous cultivons est grand, mieux nous percevons le sujet dans sa globalité et ses reliefs multiples. Nous avons tout à gagner à cultiver plusieurs opinions complémentaires sur un même sujet. Comme le disait Alain : « Dès que nous tenons une opinion, elle nous tient. »

De même, il est dans notre intérêt de nous enrichir d'une multiplicité d'opinions sur nous-mêmes, plutôt que de donner une valeur excessive à une seule d'entre elles. D'où l'intérêt d'avoir douze photographes, plutôt qu'un seul, dans notre allégorie. Regardons donc tous les clichés que nous tendent ceux qui nous expriment leur avis sur nous, et en observant en quoi ils se recoupent, nous parviendrons mieux à distinguer ce qui relève de la subjectivité de chaque photographe de ce qui nous apprend vraiment quelque chose sur nous-mêmes.

Si je ne suis capable d'envisager une situation ou un problème que sous un seul angle, je risque fort de passer à côté de certains de ses aspects importants et de me forger ainsi une opinion erronée, parce que partielle, partiale, incomplète.

Dans la Grèce antique, les sophistes étaient capables d'adopter un point de vue sur un sujet, puis un autre, radicalement opposé, et de défendre les opinions contradictoires résultantes avec autant de force d'argumentation. Un sophiste, aujourd'hui, pourrait ainsi défendre tout d'abord l'État social, puis l'ultralibéralisme, avec la même verve et la même pertinence. Malheureusement, cette aptitude n'est plus guère cultivée de nos jours, comme on le voit en politique où l'on se limite à être « de gauche » ou « de droite », en niant toute pertinence au point de vue et aux opinions de l'autre camp. Symboliquement parlant, ça donne l'impression d'être gouverné par des borgnes auxquels manque alternativement l'œil droit ou l'œil gauche !

Deuxièmement, *deux opinions conflictuelles peuvent être toutes deux vraies* ! Une pente est à la fois une montée et une descente. Une paroi peut à la fois être convexe et concave. Un visage peut être éclairé d'un côté, et dans l'ombre de l'autre. Cela signifie que nous n'avons pas besoin de donner tort à autrui pour avoir raison nous-mêmes, contrairement à ce que l'on croit trop souvent. Il existe fréquemment un troisième point de vue duquel nous pouvons percevoir la pertinence des deux autres et leur complémentarité. D'où le proverbe juif : « Entre deux solutions… il faut choisir la troisième ! » La recherche de ce point de vue qui englobe les deux autres est une saine habitude mentale à cultiver, qui nous évite de nous scléroser dans nos opinions et nos certitudes.

De manière analogue, les avis qu'autrui exprime à notre sujet peuvent être contradictoires et cependant pertinents en même temps. « Que tu es grand ! » s'exclamerait un ver de terre levant les yeux vers un lapin, tandis qu'un cheval abaissant son regard dans sa direction le jugerait, par rapport à lui, tout petit.

Troisièmement, sachant qu'une opinion reflète toujours un point de vue spécifique, nous pouvons tirer cette dernière conclusion utile : *L'opinion qu'autrui se forge de moi m'indique de quel point de vue il me perçoit.*

— Celui qui dit que je suis un géant me voit d'en bas ; celui qui me décrit comme un nain me regarde de haut ;
— celui qui me prend pour un imbécile se considère comme une lumière, et celui qui me voit comme un génie possède peut-être une piètre opinion de sa propre intelligence.

En me décrivant sa perception de moi, chacun m'indique en même temps où il se situe lui-même. Ou, dans les termes de notre allégorie, en me montrant sa photo, chaque photographe m'indique quelles sont les caractéristiques de sa prise de vue : objectif, éclairage, filtre, sensibilité, etc. Il faut toutefois pour cela que je me connaisse assez moi-même pour pouvoir comparer ce qui m'est dit avec ce que je sais déjà de moi. Conclusion, donc : *En me parlant de moi, autrui me parle aussi de lui-même.*

À elle seule, cette conclusion peut complètement changer notre façon d'écouter ce qui nous est dit sur nous et le crédit que nous apportons à l'opinion d'autrui, miroir souvent peu fiable. Faites l'essai pendant une semaine. Chaque fois que quelqu'un fait une remarque à votre propos, demandez-vous ce qu'il est en train de vous dire sur lui-même par la même occasion :

— De quel point de vue vous juge-t-il ?
— Où se positionne-t-il par rapport à vous ?
— Quelle idée de lui-même a-t-il pour vous percevoir de cette manière ?
— En quoi ce qu'il vous dit vous parle de lui, plutôt que de vous ?

Quand c'est possible, posons des questions à notre interlocuteur, afin de mieux comprendre son parcours, ses valeurs, bref, ce qui le conduit à avoir de nous l'opinion qu'il a exprimée. En agissant ainsi, nous nous entraînons à modifier le centre de gravité de nos échanges : au lieu d'être centré sur nous-mêmes, de réagir personnellement aux propos des autres, de nous prendre pour le centre de l'attention, nous allons nous intéresser davantage à la personne qui est en face, à son point de vue à elle, à ce qui la pousse à nous juger de telle ou telle façon, à ce qu'elle nous révèle d'elle-même, et enfin à la relation spécifique qui s'établit entre elle et nous. C'est une façon d'effectuer une révolution copernicienne dans nos relations. Ce ne sera plus l'univers qui tournera autour de notre terre (« Tout gravite autour de moi, tout le monde me regarde, me juge »), mais notre planète qui prendra sa juste place aux côtés des autres (« Je suis une personne parmi d'autres, à graviter dans un certain environnement social, et à établir diverses relations avec les autres »).

À la lumière de ce qui précède se précise ce que signifie être libre de l'opinion d'autrui. Cela signifie premièrement ne pas *dépendre* de cette opinion, qu'elle soit négative ou positive : ne pas redouter maladivement les critiques, les reproches, la désapprobation d'autrui ; ne pas non plus avoir un besoin compulsif d'être approuvé, complimenté, loué, félicité par autrui. Être libre de l'opinion d'autrui, cela veut donc dire donner la priorité à la connaissance de soi, à la confiance en soi et à l'estime de soi, plutôt qu'à l'idée que les autres se font de qui nous sommes et de ce que nous valons. Cela signifie se fier à ses propres critères, à ses propres valeurs, aux principes que l'on s'est donnés, plutôt qu'à ceux des autres, aux clichés plus ou moins fiables de nous qu'ils nous tendent. Être libre de l'opinion d'autrui implique donc d'être *centré*, d'avoir sa conscience ancrée dans son propre centre intérieur, plutôt qu'à fleur de peau ; dans son soi profond, plutôt que dans la bulle étroite de son ego sur laquelle les autres projettent leurs avis. L'opinion d'autrui n'affecte donc que l'ego, pas le soi. Apprendre à se centrer est une des voies de la libération de l'opinion d'autrui.

En revanche – et il est tout aussi important de le préciser –, être libre de l'opinion d'autrui ne signifie pas être totalement sourd ou imperméable à cette opinion. Cela ne veut pas dire l'ignorer, la refuser ou la rejeter systématiquement. Au contraire. Celui qui est libre de l'opinion d'autrui, celui qui n'en a plus ni besoin ni peur, est d'autant plus en mesure de recevoir cette opinion, de l'écouter sans attente ni crainte, puis de déterminer librement ce qu'il convient d'en faire : l'accepter, la refuser, la nuancer, la soumettre à réflexion, etc. Être libre de l'opinion d'autrui, ce n'est donc pas s'enfermer dans sa bulle, ni – comme on l'observe souvent aujourd'hui dans les milieux du développement personnel – se cacher derrière un miroir pour renvoyer à autrui tout ce qu'il tente de nous dire avec des « C'est toi qui vois ça comme ça », « C'est ton problème », « Ce que tu penses, c'est ton affaire », etc. Celui qui agit ainsi n'est pas libre de l'opinion des autres, il s'est simplement coupé d'autrui, il refuse l'échange, il est encore animé par la peur et le besoin de se protéger.

Autrement dit, être libre de l'opinion d'autrui, ce n'est pas troquer une sensibilité à fleur de peau contre une armure impénétrable. Ni caméléon qui se pare des couleurs de l'avis des autres, ni canard sur lequel l'opinion d'autrui glisse comme de l'eau, celui qui est libre de l'opinion des autres reste centré, ouvert aux échanges, disposé à s'enrichir de la vision d'autrui, sans pour autant se sentir obligé de s'y rallier ou de s'y conformer. Ne confondons pas recul et détachement, avec insensibilité et indifférence !

« Avant que le monde fût créé, le visage ne regardait pas le visage », dit la Cabbale, dans une conception où l'univers – la Création – serait le miroir qui permettrait au Créateur de se connaître. À l'échelle humaine, les miroirs sont tout autant nécessaires, de la glace qui permet de se raser ou de se coiffer le matin à ces reflets que les autres nous renvoient de nous-mêmes, dans les opinions qu'ils formulent. Dans le cas de la Création, le miroir est encore mal dégrossi et le monde matériel bien loin de refléter la splendeur divine, affirment les textes sacrés. Pour ce qui nous concerne, comme l'illustre l'allégorie des photographes, le problème est le même : nous sommes les uns pour les autres des miroirs insuffisamment polis (voire parfaitement impolis…), renvoyant des images souvent floues, déformées, agrandies ou rétrécies. Aussi imparfaites soient-elles, elles conservent pourtant leur utilité. L'astuce, comme le suggère cette allégorie, consiste à les *multiplier*, afin de pouvoir discerner ce qu'il y a de commun derrière les différences que présente chaque reflet que nous offre autrui, chaque opinion qui s'exprime à notre propos. Une opinion est toujours sujette à caution. Mais quand dix, vingt, cent avis se recoupent par certains points, c'est signe qu'ils comportent une part de vrai.

Il faut à la fois avoir de soi une connaissance suffisante pour ne pas être esclave de l'opinion d'autrui, et assez d'humilité pour reconnaître que le miroir des autres nous est utile. Les douze photographes ont encore autre chose à nous apprendre. Les clichés qu'on prend de vous ne changent pas la moindre chose à ce que vous êtes fondamentalement : ils ne prennent ni n'ajoutent rien à votre identité profonde. Laissons à quelques peuplades du passé la croyance que le photographe volait l'âme de celui dont il prenait un cliché. Même si une photo vous présente sous un jour défavorable, elle n'affecte en rien votre identité profonde. De manière analogue, l'opinion d'autrui, aussi critique puisse-t-elle être, ne change rien non plus à ce que vous êtes. Vous restez ce que vous êtes, indépendamment des opinions défavorables et favorables que les autres ont de vous. L'histoire de l'humanité est remplie de personnes remarquables – génies, saints, artistes – que l'on a tout d'abord critiquées, maudites, voire détruites, avant d'en reconnaître la grandeur,… comme de tyrans et de fous qui ont eu leur moment de gloire et leur foule d'admirateurs, avant de prendre dans la mémoire humaine la sombre place qui leur revenait véritablement. Dans les deux cas, les avis de leurs contemporains n'ont pas fait le poids, à long terme, à côté de la réalité de leur être et de leurs actes.

Pourquoi, dès lors, donner à une opinion plus d'importance et de poids qu'elle n'en a ? Sa seule valeur à nos yeux et son seul pouvoir sur nous, ce sont ceux que *nous* lui donnons, chose que nous avons tendance à oublier, devenant ainsi victimes de l'influence que nous avons nous-mêmes accordée à autrui. Se libérer de l'opinion d'autrui, c'est donc aussi reprendre ce qui est nôtre, c'est-à-dire la puissance dont nous avons investi telle personne et son avis.

Un dicton japonais que j'affectionne dit que lorsqu'on a mal aux pieds, on a le choix entre recouvrir la terre entière de cuir… ou porter des chaussures ! De manière analogue, quand notre image est mise à mal par l'opinion d'autrui, on a le choix entre vouloir corriger l'opinion de chaque personne que l'on rencontre,… ou apprendre à devenir imperméable (et non insensible) aux avis des autres. J'espère en tout cas que vous serez de cette opinion !

4

Le téléviseur :
le principe d'inversion

Demandez à un jeune enfant ce qu'est un poste de télévision, il vous répondra que c'est un appareil qui produit des images et du son. C'est effectivement ce qu'il semble faire. Pourtant, si on le nomme également *récepteur de télévision*, c'est que sa fonction première consiste à *capter* des ondes invisibles et inaudibles, émises par une antenne distante, qu'il convertit ensuite en films et émissions que nous pouvons voir et entendre. Son activité manifeste, accessible à nos sens, est donc l'inverse de son fonctionnement caché, qui nous échappe : il est *réceptif* à des ondes, et *émissif* sur le plan concret. Le petit enfant ou celui qui ne connaît pas la technologie propre à la télévision aura donc une compréhension faussée et incomplète de son activité réelle.

Au même titre que les phénomènes naturels, et comme bien d'autres inventions humaines, la télévision – prise comme métaphore – peut nous conduire à des réflexions très intéressantes sur nous-mêmes et sur la vie en général. Quand on pense à la croisade longtemps menée par la science contre la spiritualité (qu'elle a rejetée sans discernement en même temps que l'eau – bénite ? – du bain des religions), la plupart de nos gadgets modernes s'appuient, ironiquement, sur des innovations technologiques qui, au niveau matériel, sont le reflet fidèle de lois et de principes spirituels.

N'est-il pas paradoxal que, tout en utilisant chaque jour des appareils dont l'énergie échappe à nos sens – téléphones portables, bornes Wi-Fi pour Internet, radios, télévisions, télécommandes, etc. –, et que nos proches ancêtres auraient jugés magiques (… ou plus probablement diaboliques !), nous vivions encore en Occident dans une culture qui nie majoritairement l'existence de dimensions autres que matérielles, qui rejette l'âme, l'esprit et les entités invisibles, quelles qu'elles soient ? C'est d'autant plus paradoxal, en réalité, que les recherches scientifiques de pointe, notamment en physique, en biologie et en psychologie, ont contribué à élaborer une vision du monde beaucoup plus proche de celle des traditions spirituelles ou chamaniques de toujours, que de celle qui continue d'être enseignée dans les écoles. Comme disait Pasteur : « Un peu de science éloigne de Dieu ; beaucoup de science y ramène. »

Que nous dit donc la métaphore de la télévision ? De manière générale, elle montre que la dimension apparente d'un phénomène peut être l'inverse de son fonctionnement intérieur, essentiel. Ce faisant, elle nous invite à envisager que d'autres phénomènes associent en réalité eux aussi une partie visible et une partie cachée, avec inversion de polarité entre les deux. Et elle nous suggère du même coup que la fonction première de ces phénomènes se dissimule peut-être dans cette dimension secrète…

Prenons un exemple tout simple, pour commencer : la pluie. Chacun sait que la pluie tombe des nuages. Mais interrogez un enfant ou lisez certains contes et légendes de divers peuples primitifs d'hier ou d'aujourd'hui, et vous constaterez que la façon dont se forment les nuages reste pour eux un mystère total… Tout le monde voit la pluie tomber, parce que cette partie-là du cycle de l'eau est visible et relativement rapide, tandis que l'évaporation de l'eau à la surface des lacs, mers et océans, mais aussi des forêts, qui est précisément à l'origine de la formation des nuages, est à la fois lente et imperceptible.

De manière analogue, mais si peu visible que le phénomène demeure largement incompris, j'ai montré dans un précédent essai, *Le Tigre et l'Araignée : les deux visages de la violence*[1], que la violence se compose elle aussi de deux polarités

---

1. *Le Tigre et l'Araignée*, O. Clerc, éditions Jouvence, 2004. Aujourd'hui épuisé, mais téléchargeable sur le site de l'auteur : www.olivierclerc.com

dont jusqu'ici nous n'avons identifié que la manifestation visible – que je symbolise par le Tigre – combattue par tous les moyens, sans voir la relation de cause à effet qui l'unit à cette autre violence lente, invisible et cachée, que j'ai symbolisée par l'Araignée. Nous reconnaissons sans peine les *décharges* de violence que sont les coups, les insultes, les explosions, les meurtres, les guerres, les agressions en tous genres, etc.; mais nous commençons à peine à identifier les situations qui favorisent la *charge* progressive, la lente accumulation de tension, d'agressivité, de ressentiment et de haine, qui finit par se libérer brutalement sous une forme ou une autre. Le harcèlement moral – dont la manifestation répétée, jour après jour, détruit des gens, les rend dépressifs et en pousse même certains au suicide – reste une des rares formes de violence « arachnéenne » clairement identifiée aujourd'hui, alors qu'il en existe une multitude d'autres que nous ne reconnaissons pas comme étant de la violence.

On retrouve dans ces deux polarités de la violence les mêmes caractéristiques inversées que pour la pluie: d'un côté quelque chose de lent, d'invisible et de progressif (évaporation; accumulation de rancœur, de haine refoulée), et de l'autre une manifestation brutale, rapide, évidente (pluie, orages, éclairs; décharge soudaine de violence).

Faute d'une compréhension complète des deux phases de ce cycle de la violence, avec sa polarité visible, connue de tous, et celle cachée que nous commençons tout juste d'entrevoir, nos tentatives de « lutter contre la violence » se révèlent au mieux inefficaces, au pire contribuent à aggraver le mal, après une amélioration aussi apparente que passagère.

Pour utiliser encore une autre image, la violence est comme l'herbe : en couper la partie visible, loin de l'éliminer, ne contribue qu'à la faire repousser de plus belle ; il faut en arracher les racines cachées, si l'on veut en stopper tout le cycle de croissance. Ou, pour revenir à notre métaphore télévisuelle, si l'on veut supprimer une émission, la bonne solution ne consiste pas à détruire les uns après les autres tous les postes où elle apparaît : c'est seulement en intervenant à la source, au niveau de la chaîne qui la diffuse, qu'il est possible d'obtenir une action efficace.

À bien y regarder, depuis plus d'un siècle, les découvertes se sont multipliées dans presque tous les domaines pour mettre en évidence une contrepartie cachée des phénomènes connus. En psychanalyse, on a mis en évidence un inconscient qui pense en symboles et dirige notre vie nocturne, derrière le moi conscient, verbal, de l'état de veille. Nombre de nos actes conscients sont incompréhensibles sans l'éclairage apporté par cette dynamique inconsciente. En biologie, la théorie des champs morphogénétiques mise en avant par Rupert Sheldrake soumet nombre de phénomènes visibles — du développement de la forme spécifique de chaque espèce au comportement de bancs d'oiseaux ou de poissons, en passant par les apprentissages humains — à l'influence invisible de « champs morphiques » (autrefois, on aurait dit « égrégores ») propres à chaque espèce, à chaque culture, famille ou groupe, quels qu'ils soient : cette théorie reste à ce jour la seule hypothèse prometteuse pour expliquer des phénomènes dont la cause nous échappe. Quant à la médecine psychosomatique, pour prendre un dernier exemple, elle a clairement montré que certaines pathologies physiques concrétisent des problèmes psychologiques, soulignant à sa façon la puissante influence de l'intangible et du subtil sur le physique : c'est souvent l'accumulation de tensions, de non-dits, de problèmes non résolus que l'individu garde pour lui tout seul, sans pouvoir s'en ouvrir à quiconque, qui finit à la longue par provoquer des pathologies plus ou moins graves, pouvant aller jusqu'au cancer ou à la sclérose en plaques. Et l'on pourrait multiplier les exemples à l'envi dans d'autres domaines.

En extrapolant cette recherche de la polarité cachée, de l'influence invisible, on est naturellement conduit à envisager que le principe qui sous-tend la métaphore de la télévision puisse s'appliquer à l'univers physique tout entier, et à l'être humain lui-même. Dans cette optique, ce que nous voyons, ce que nos cinq sens nous donnent à percevoir du monde, y compris de nous-mêmes, n'est que la partie visible, manifeste, d'une réalité totale qui comprend une autre moitié échappant à notre perception habituelle, mais d'une importance et d'une influence primordiales. C'est précisément ce qu'affirment nombre de traditions spirituelles du monde entier, dont certaines, comme les Aborigènes d'Australie et certaines tribus amérindiennes, vont même jusqu'à inverser le rapport entre ces deux moitiés et à considérer ce que nous nommons la *réalité* comme n'étant qu'un rêve, le pâle reflet d'un monde subtil qui est à leurs yeux autrement plus *réel* que celui-ci (comme une plate émission de télévision par rapport au réel en trois dimensions).

La métaphore de la télévision nous invite donc à opérer un renversement dans notre manière de penser, à effectuer une révolution copernicienne de beaucoup plus grande ampleur, puisqu'elle n'affecte plus seulement notre perception du cours de l'astre solaire, mais de tout le monde visible. Comme l'enfant apprend un jour l'existence des ondes dont dépendent la télévision, la radio et la téléphonie mobile, qu'il utilise sans en connaître le fonctionnement, l'éducation de sa raison venant alors suppléer ce que ses sens ne peuvent lui enseigner, nous sommes conviés à découvrir que le monde matériel est lui aussi la manifestation concrète d'un monde subtil (énergétique, spirituel) et à laisser l'intuition et le développement d'autres facultés que l'intellect suppléer à leur tour à ce que la raison elle-même ne peut nous apprendre.

L'effort est d'ailleurs étrangement similaire à celui que durent effectuer en leur temps les contemporains de Galilée : abandonner des *croyances* religieuses, accepter des *données* qui venaient contredire l'expérience immédiate de leurs sens et développer une nouvelle vision de l'univers et de la place que l'homme y occupait, à la lumière de la raison, radicalement différente d'avant. De manière analogue, nous disposons aujourd'hui d'une quantité phénoménale de *données* qui abondent dans le sens de l'existence de ces influences subtiles, spirituelles et/ou énergétiques sur le monde matériel visible. Contrairement à ce que craignent certains, il ne s'agit ni de renoncer à la raison pour adopter des croyances anciennes, ni de revenir en arrière (la grande crainte des dévots du progrès !), mais au contraire d'identifier la part importante de dogme et de croyance actuellement présente dans la science et de s'en libérer pour accueillir des faits qui sortent de son cadre étroit et pour s'ouvrir à une vision du monde qui leur donne sens, exactement comme les théories de Galilée ont donné un sens aux « aberrations » dans le mouvement des planètes, qui résultaient de la croyance en la rotation de celles-ci autour d'une Terre fixe.

À ce propos, je me rappelle encore l'étonnante réponse de Sheldrake, lors d'une interview en 1990 à Paris, lorsque je lui avais demandé ce qu'il pensait de l'ouverture actuelle de certains scientifiques de pointe à des théories proches des grands courants spirituels : « Le plus urgent, m'avait-il répondu, n'est pas que la science devienne plus spirituelle, pour l'instant, mais qu'elle soit déjà véritablement scientifique ! » Il reprochait en effet à nombre de ses pairs leur refus obstiné de prendre en considération tout fait contraire à leurs théories, dans une attitude profondément antiscientifique qui rappelait justement le refus des religieux d'autrefois d'accepter les apports de la science moderne naissante, sous prétexte que ceux-ci remettaient en question les dogmes de l'Église. En science, aujourd'hui, les partisans de ce qu'on nomme le « nouveau paradigme » – en particulier dans les avancées les plus importantes de la physique, de la biologie et de la psychiatrie – affrontent un refus similaire de la part des tenants de la vieille vision du monde, qui s'accrochent à ses dogmes éculés avec toute la force que leur confère leur position encore dominante (sans doute plus pour longtemps).

En réalité, la métaphore de la télévision synthétise et résume les relations qui unissent deux couples de polarités opposées :
– un couple visible-invisible, d'abord, puisqu'un téléviseur – comme une radio – réunit à la fois des énergies qui échappent à nos sens (ondes) et d'autres qui nous sont parfaitement perceptibles (son, images) ;
– et un couple yin-yang, ou réceptif-émissif, puisqu'il reçoit certaines énergies, avant d'en émettre d'autres à son tour.

Elle montre qu'en passant du visible à l'invisible – ou du haut et subtil au bas et matériel – il se produit une inversion, un changement de polarité. La partie invisible du téléviseur est « féminine », réceptive ; sa partie visible est « masculine », émissive.

« Ce qui est en bas est comme ce qui est en haut », disait Hermès, oui, mais inversé, comme le reflet de l'arbre à la surface d'un lac. Il y a toujours un effet miroir, avec une inversion qui peut aussi bien être haut-bas que gauche-droite, intérieur-extérieur ou encore un-multiple. On retrouve ce même principe d'inversion dans de nombreux autres cas, si l'on prend le temps d'en observer et d'en étudier attentivement le fonctionnement.

Les organes reproducteurs de l'homme sont visibles, extérieurs ; ceux de la femme intérieurs, cachés. L'homme a les deux testicules rapprochés, en bas, et la verge au-dessus, formant symboliquement un triangle pointe en haut. La femme a les ovaires distants, en haut, et la vulve en bas, formant le symbole d'un triangle pointe en bas. Même leurs pilosités pubiennes respectives dessinent elles aussi des triangles inversés. L'homme produit des millions de spermatozoïdes, la femme un seul ovaire à la fois.

Mais si l'on passe du physique à l'affectif, à l'émotionnel, on constate aussi une inversion de polarité : là, c'est la femme qui est émissive et l'homme réceptif. C'est la femme qui règne sur l'univers des sentiments où l'homme, au départ, est moins à l'aise. Certains argueront que cela tient à des raisons éducatives, alors que c'est dû à l'émissivité naturelle de la femme au niveau affectif (sa poitrine en est la manifestation physique, et toute mère sait qu'en allaitant elle nourrit aussi son bébé de ses sentiments, de son amour) et à la réceptivité correspondante de l'homme, qui explique sa crainte éternelle de trop exposer son cœur, de peur d'être blessé. Si l'homme dispose d'une force physique supérieure à celle de la femme, celle-ci possède sur lui un ascendant affectif, source d'influence considérable sur lui. Et si la force de l'homme peut aussi bien servir à protéger la femme qu'à lui imposer des rapports de force (viol), l'ascendant affectif d'une femme − comme l'ont amplement développé les romans et œuvres cinématographiques du monde entier − peut lui aussi s'exercer de manière bénéfique ou nuisible, être source d'inspiration, de motivation, ou au contraire de manipulation et de domination.

Je précise que ces généralités de principe n'excluent évidemment pas toute la diversité des individus et la manière dont chacun manifeste sa nature fondamentale : certaines athlètes féminines supplantent largement les hommes en force, tout comme certains hommes font preuve d'une capacité affective bien plus développée que la norme masculine et que beaucoup de femmes. Mon propos n'est en rien sexiste et j'évoque d'autant plus librement ces différences que, pris dans leur globalité − physique, affective, mentale et spirituelle −, l'homme et la femme sont égaux, d'où l'intérêt d'observer et de bien comprendre comment alternent et interagissent les polarités opposées qu'ils manifestent à des niveaux différents. En effet, ce n'est pas seulement physiquement que l'homme et la femme sont inversés et complémentaires, mais à tous les niveaux de leur être, avec ces inversions de polarité en passant d'un plan au suivant qui font que chacun, homme et femme, est à la fois yang dans certains registres et yin dans d'autres, à la fois fort/ dominant/émissif dans un plan et plus faible/ vulnérable/réceptif dans un autre. La nature n'a pas fait l'homme fort et la femme fragile, mais a réparti entre eux des forces et des faiblesses à des niveaux différents, de même que si elle a doté l'éléphant ou le tigre d'une force physique impressionnante... elle a également donné aux microbes et aux virus les moyens de terrasser des organismes infiniment plus gros qu'eux ! Nous restons malheureusement encore trop tributaires d'une vision des choses qui ne reconnaît que le pouvoir visible et apparent, en sous-estimant ou en ignorant complètement le pouvoir invisible ou caché, pourtant tout aussi probant.

C'est d'ailleurs ce qui me fait m'inscrire en faux contre un discours très en vogue aujourd'hui qui – je schématise (si peu !) pour simplifier – oppose les méfaits généralisés du machisme, et de tout ce qui est masculin et viril en général, au nécessaire retour des valeurs féminines, forcément bénéfiques. Les maux du monde viendraient des seuls abus du pouvoir masculin, et leur remède serait exclusivement d'essence féminine.

En réalité, lorsqu'on prend en compte à la fois le visible et l'invisible, le manifeste et le caché, on constate qu'hommes et femmes ont chacun contribué *à leur manière* et *dans leur registre spécifique* aux conflits et aux problèmes que nous tentons de résoudre aujourd'hui, et notamment à la violence. Seule une vision systémique et holistique des interactions entre hommes et femmes dans tous les plans peut nous permettre de résoudre les conflits et la violence, en évitant les solutions cosmétiques et superficielles, qui contribuent pernicieusement à alimenter ce qu'elles prétendent éradiquer. Pour reprendre les métaphores évoquées dans ce chapitre, on ne peut pas dissocier ce qui passe sur une télévision de ce qu'émet la chaîne ; on ne peut pas dissocier l'orage, la pluie, la foudre et le tonnerre de l'évaporation de l'eau responsable de la formation des nuages, ni – en retour – la pluie du remplissage des lacs ; on ne peut pas dissocier la décharge violente, soudaine et brutale du « Tigre », ainsi que je l'appelle, de l'oppression insidieuse, indirecte et cachée de l'« Araignée », qui favorise la lente accumulation d'une charge émotionnelle toxique ; enfin, on ne peut pas dissocier le comportement des hommes de celui des femmes, et réciproquement, avec la multiplicité des interactions mutuelles visibles et invisibles qui les caractérisent à tous les niveaux. Il ne s'agit pas de reprocher aux uns le comportement des autres, ni de nier ou de reporter sur le pôle opposé les responsabilités de chacun, mais d'élargir notre perception de ces interactions réciproques et donc notre vision des responsabilités des uns et des autres, jusqu'à englober tous les paramètres de la situation.

Dans un tout autre registre, maintenant, l'œil et la vision offrent une illustration inversée de la métaphore de la télévision, qui mérite qu'on s'y arrête. Physiologiquement parlant, l'œil est un organe récepteur des rayons lumineux : il se forme ensuite sur le fond de la rétine une image *inversée* de la scène observée, où le haut se retrouve en bas et inversement. Cette image fait l'objet d'un décodage, d'une interprétation par le cerveau : en effet, comme on l'a découvert avec certains aveugles de naissance ayant recouvré la vue grâce à la médecine, au départ le cerveau ne perçoit qu'un ensemble de taches lumineuses de différentes couleurs, de sorte qu'un apprentissage est nécessaire avant qu'il ne parvienne à en faire une image nette, précise, et à distinguer objets et personnes.

De plus, l'aveugle a tout d'abord le sentiment que ces taches se forment dans sa tête, *en lui*, et non qu'elles proviennent de l'extérieur. Enfin, cette image est remise à l'endroit (opération que le cerveau effectue ensuite automatiquement, en permanence), avant que nous ne la *projetions* en retour sur le monde qui nous entoure.

Or, curieusement, c'est cette dernière opération, la plus subtile de tout le processus, que nous semblons retenir principalement de la vue, quand nous utilisons des expressions comme «*jeter* un coup d'œil», « *lancer* un regard », « avoir un regard *pénétrant* », se faire «*transpercer* ou *foudroyer* du regard», etc.

Nous vivons la vision comme un acte *émissif* comme si un faisceau lumineux sortait de nos yeux, que nous puissions reporter à volonté sur tel objet, telle personne ou tel paysage, alors que biologiquement parlant l'œil est un organe purement *réceptif* (dixit la science). Ce qui mérite deux commentaires :

— on ne peut exclure — même si cela échappe aux moyens scientifiques actuels — que l'œil *émette* effectivement quelque chose, que son fonctionnement allie la réception d'ondes lumineuses mesurables à l'émission de rayons plus subtils encore, porteurs de nos émotions et états d'âme (ne dit-on pas que les yeux sont les miroirs de l'âme ?) ;

— pour revenir à notre métaphore, on constate une fois encore qu'il y a dans le phénomène de la vision un aspect à la fois réceptif et émissif (même si ce dernier ne devait être que l'impression subjective du cerveau de projeter sur le monde extérieur l'image qu'il a élaborée), une étape d'*inversion* entre les deux, et surtout que l'on ne retient de ce phénomène — malgré notre connaissance objective — que la sensation subjective de projeter son regard autour de soi, et non de recevoir quelque chose en soi.

Si j'ai dit plus haut que cette illustration oculaire de la métaphore de la télévision méritait qu'on s'y arrête, c'est parce que le fonctionnement de l'œil a lui-même maintes fois été utilisé comme métaphore de l'intellect. Tout le vocabulaire lié au mental est d'ailleurs inspiré du sens de la vision : le « point de vue », les « lumières » qu'on jette sur tel ou tel sujet, « l'obscurantisme » dont on taxe les gens peu intelligents, les intellectuels qu'on juge « brillants », notre capacité à « réfléchir », la démonstration qu'on trouve « lumineuse », et jusqu'au terme même *d'idée*, qui signifie au départ « forme visible »… vous *voyez* ce que je veux dire ? Du coup se pose la question de savoir si notre intellect n'a pas lui aussi un double fonctionnement à la fois réceptif et émissif : les idées que nous émettons n'ont-elles pas tout d'abord été *captées* par notre cerveau ? Se pourrait-il que notre psychisme soit comme le téléviseur de notre métaphore et que sa fonction première soit de recevoir et de décoder des informations subtiles, « dans l'air », avant de leur donner forme et de les exprimer ? C'est en tous les cas une hypothèse aussi plausible qu'une autre. Plusieurs penseurs éminents ont dit avoir le sentiment d'être avant tout *réceptifs* à des courants. Plus spécifiquement, les recherches scientifiques effectuées sur des individus aux capacités médiumniques avérées vont dans le sens de l'existence d'une aptitude cérébrale à capter les pensées émises par d'autres êtres. Enfin, les travaux de Rupert Sheldrake (déjà évoqués plus haut) suggèrent aussi la possibilité que s'échangent à distance – sous une forme qui échappe encore à nos instruments de mesure actuels – des informations non seulement entre personnes, mais entre le groupe et l'individu. Cela pourrait expliquer, par exemple, pourquoi certaines inventions majeures ont été *captées* simultanément par plusieurs génies, dans des pays différents, parfois à très peu de temps d'intervalle. Comme un téléviseur équipé d'une antenne et d'un lecteur/graveur de DVD, notre cerveau cumulerait ainsi la possibilité de recevoir des informations subtiles, de les enregistrer et de les rejouer à volonté (voire, avec un PC connecté, de les retoucher et de les modifier à volonté).

À divers égards, l'humanité semble sur le point de franchir un cap important, à savoir précisément le passage d'une vision du monde — essentiellement forgée par la raison et la science depuis quelques siècles — très matérielle et fondée avant tout sur une perception sensorielle et intellectuelle des choses (complétée par les données des instruments de pointe qui prolongent nos sens et en élargissent le champ de perception), à une vision plus complète, enrichie de la prise en compte des dimensions subtiles et cachées du réel, qui se découvrent progressivement à nous et ont même fait leur entrée dans le champ des sciences. On peut symboliquement comparer cela à ce stade de l'évolution terrestre, il y a des centaines de millions d'années, où des espèces vivantes ont quitté les océans primitifs, dans lesquels la vie a débuté, pour coloniser progressivement les terres. L'océan et l'eau ont cessé d'être leur seule réalité : s'y sont ajoutés la terre ferme et surtout l'air. De nouveaux organes et fonctions — poumons et respiration — ont dû voir le jour pour transformer ce milieu aérien, létal pour les poissons, en un cadre de vie pour les espèces terrestres. Alors que nous nous apprêtons à quitter l'ère du… Poisson (!) pour celle aérienne du Verseau, il semble que l'humanité soit aussi appelée à prendre en compte une autre dimension plus subtile que le seul plan matériel.

En restant dans cette veine, l'amateur de symbolique que je suis ne peut qu'être frappé par l'intérêt considérable dont font l'objet les dauphins, aujourd'hui, en particulier dans les milieux spirituel et new age. Le dauphin, comme les autres cétacés, est un être intermédiaire, un passeur qui évolue à la fois dans l'eau et dans l'air. Comme les chauves-souris, ces animaux sont des exceptions dans leur milieu, étant les seuls mammifères à partager les uns la vie des espèces marines, les autres celle des espèces volatiles. De plus, dauphins et chauves-souris sont tous deux équipés d'un sens supplémentaire, le sonar des premiers et le radar des secondes, qui leur permet de percevoir des choses qui échappent à nos sens à nous. La grande différence est que le dauphin fait l'objet d'une idéalisation et de projections très positives et lumineuses de la part des humains (comme le montrent déjà des mythes anciens), tandis que la chauve-souris — à quelques rares exceptions près, dans certaines cultures — fut assimilée au monde noir, aux vampires et à toute une symbolique éminemment négative. À l'heure où une proportion croissante de l'humanité commence elle aussi à faire des incursions de plus en plus fréquentes dans la dimension subtile et à développer de nouvelles percep-tions, le dauphin apparaît donc comme un symbole évident de cette capacité à aller et venir entre deux mondes, à laquelle cet animal ajoute la grâce de ses formes, son intelligence et certains traits altruistes (par l'aide qu'il apporte parfois aux navigateurs), qui contribuent à en faire une icône des plus positives, en ces temps de changements et de transition.

D'un point de vue purement technologique, nous vivons aujourd'hui dans un monde qui dépasse ce que les cerveaux les plus imaginatifs d'il y a à peine trois cents ans auraient jamais osé concevoir. Mais la technologie n'est pas le seul domaine où nous progressons et rien n'empêche d'imaginer que demain – dans quelques décennies ou siècles, qui sait ? – nos facultés auront à ce point évolué que notre manière actuelle de considérer le monde, ses origines, sa finalité et notre rôle dans la grande chaîne du vivant sera aussi éloignée de celle qui prédomine aujourd'hui que ne l'est notre vie de celle du siècle dernier.

Vus sous l'angle de leur signification symbolique, bon nombre de nos découvertes technologiques les plus récentes, dont la télévision, peuvent nous aider à faire évoluer notre compréhension de l'univers et nous pousser à faire une expérience de première main de ses dimensions cachées, en utilisant ce que les anthropologues nomment précisément des « technologies du sacré », ces moyens développés par les cultures des cinq continents, depuis l'aube de l'humanité, pour passer symboliquement à travers l'écran du réel et aller à la découverte de ses aspects subtils.

L'aube et le crépuscule :
si semblables et si différents

Imaginez que vous vous éveilliez d'un long coma. Vous regardez par la fenêtre. Il fait jour, mais le soleil est absent du ciel. Vient-il tout juste de se coucher ? Ou va-t-il plutôt se lever bientôt ? Est-ce l'aube ou le crépuscule… ? Vous êtes bien incapable de le dire. La luminosité merveilleuse, propre à ces deux moments charnières de chaque journée, est en effet par trop ressemblante : elle ne suffit donc pas, à elle seule, à déterminer si elle annonce le début d'une journée ou en signale plutôt la fin. Il ne vous reste plus qu'à patienter quelques minutes, le temps que la luminosité s'accroisse ou au contraire décline, précisant ainsi le moment exact de votre réveil.

Avez-vous déjà confondu l'aube et le crépuscule ? Sur une photo peut-être, mais dans la réalité probablement pas. Il y a deux bonnes raisons à cela. D'abord, l'alternance cyclique des jours et des nuits, nos rythmes biologiques, ainsi que notre perception continue du temps qui s'écoule, fait qu'à chaque instant nous savons approximativement quel est le moment de la journée. Ensuite, à supposer qu'une telle confusion se présente, comme dans l'hypothèse d'une sortie de coma, il suffirait effectivement d'attendre quelques instants pour savoir si le jour se lève ou si la nuit tombe. Autrement dit, l'un des éléments-clés de cette métaphore sur la ressemblance est le *temps*.

Dans le cas du soleil, les changements sont assez rapides pour qu'un doute éventuel se dissipe rapidement. Il est toutefois d'autres situations, dans la vie, qui présentent le même degré de ressemblance que l'aube et le crépuscule, mais qui obéissent à des cycles beaucoup plus lents dont la nature est par conséquent plus difficile à déterminer.

Mystère de la ressemblance... Tel champignon comestible ressemble étrangement à tel autre vénéneux. En proie au plaisir paroxystique de l'orgasme, le visage arbore des expressions étrangement ressemblantes à celles que dessinent d'intenses souffrances. La nature semble avoir le don de jouer de formes très semblables à des fins diamétralement opposées, comme si, ce faisant, elle nous invitait sans cesse à voir plus loin que les apparences, afin de discerner l'essentiel sous la surface. Pour que, sous les formes, nous trouvions la vie, l'intention, la finalité et le sens.

Prenez deux nations dont le rayonnement dans le monde, aujourd'hui, semble équivalent à première vue. L'éclat propre à chacune, où se mêlent peut-être brio intellectuel, éclairages scientifiques, splendeurs artistiques et rayonnement spirituel, suscite l'admiration d'autres pays, attire touristes, étudiants ou investisseurs. Pourtant, le rayonnement du premier de ces pays, pareil à la traînée lumineuse d'une comète, n'est en réalité que le vestige de sa gloire passée, les lueurs crépusculaires – et chacun sait comme elles peuvent être belles ! – d'un astre qui a longuement traversé son ciel, mais qui a désormais disparu derrière l'horizon ; la nuit ne saurait tarder.
À l'inverse, la clarté de l'autre annonce un lever de soleil proche, l'ascension imminente d'une nouvelle étoile au firmament des cultures. La ressemblance apparente de l'éclat de ces deux cultures, à un moment précis de leur histoire, masque en réalité des évolutions diamétralement opposées.

La longueur de ces cycles, bien supérieure à une existence humaine, peut conduire quelques générations à se fourvoyer sur la nature exacte du rayonnement de leur patrie. Perchées sur leur passé glorieux, elles peuvent – comme la souris sur le dos d'un éléphant courant dans le désert, qui s'exclame naïvement, « T'as vu la poussière qu'on fait ? ! » – croire que les bougies qu'elles sont tout juste encore capables d'allumer sont à l'origine de la lumière vespérale qui subsiste dans leur ciel.

De même que la lune continue de réfléchir une portion de la lumière solaire durant la nuit, certaines cultures autrefois rayonnantes n'ont désormais à offrir que le reflet pâlot des astres passés – les génies, les artistes accomplis et les grandes âmes d'autrefois – qui en ont fait la gloire.

Les soufis racontent à ce propos qu'on demanda un jour au mullah Nazrudin qui était le plus important : le soleil ou la lune… ? « La lune, évidemment ! », rétorqua Nazrudin, précisant : « Elle, au moins, elle éclaire pendant la nuit. Alors que le soleil ne brille que quand il fait déjà jour ! » Effectivement, s'il fait jour avant que le soleil ne se lève, mais également longtemps après son coucher, c'est bien la preuve qu'il n'a rien à voir avec la lumière. Imparable logique… qui devient parfois la nôtre, quand le temps écoulé entre une cause (comme le coucher ou le lever du soleil) et un effet (la nuit ou le jour) nous fait perdre de vue la causalité véritable qui les unit, et attribuer dès lors l'effet observé à une cause erronée. Dans les traditions mystiques, d'où elle émane, cette histoire est une façon subtile de nous rappeler que, comme l'aube, la lumière spirituelle commence souvent à se déverser dans notre vie bien avant que nous n'en identifions la source, et qu'elle peut continuer de briller longtemps après qu'on s'en est éloigné, faute – comme Nazrudin – d'en avoir compris et apprécié la véritable origine.

De manière plus générale, la métaphore de l'aube et du crépuscule nous invite à dépasser la simple apparence des phénomènes pour nous intéresser à ce qui les anime en profondeur, derrière leur ressemblance superficielle. Si vous faites un repas de crudités et de graines germées, ou si vous mangez plutôt un steak-frites suivi d'un café sucré, vous allez vraisemblablement avoir un « coup de fouet » dans les deux cas. Superficiellement, à court terme, les deux sensations peuvent sembler très analogues : ça donne la pêche, le corps paraît dynamisé. Mais que se passe-t-il en réalité, en profondeur ?

Dans le cas des graines germées et du cru, vous fournissez à votre organisme un apport d'aliments sains, très riches en énergie et pauvres en déchets, faciles à métaboliser et à assimiler. C'est du tonus à l'état pur. L'énergie dont vous vous sentez rempli après coup est littéralement celle que vous apportent ces aliments pleins de vie. S'agissant du steak-frites et du café, la situation est toute autre. Si ces aliments vous apportent effectivement une certaine énergie, ils provoquent avant tout une forte réaction de défense de l'organisme qui doit faire appel à toutes ses ressources afin de réussir à assimiler cette nourriture dépourvue d'enzymes (détruits par la cuisson) nécessaires à sa digestion, riche en graisses saturées et en sucre blanc (dans le café) qui mobilise vos globules blancs. Le « coup de fouet » que vous ressentez est en bonne partie dû au branle-bas de combat qui agite votre corps, c'est-à-dire essentiellement à une *dépense* énergétique, plus qu'à l'apport d'énergie reçu. Son effet ne dure d'ailleurs pas, comme en témoigne le besoin de sieste qui survient quelque temps après ce genre de repas, ou celui d'un «petit remontant», d'un nouvel apport en sucres rapides ou d'autres artifices de même acabit (café, cigarette, etc.).

Une fois encore, c'est le *temps* qui montre la différence entre ces deux sensations ressemblantes sur le moment : à court terme, c'est le contrecoup qui suit rapidement les repas trop lourds (mais que des organismes jeunes et en pleine santé ne remarquent souvent pas) ; à long terme, après plusieurs années d'une alimentation inadéquate et dénaturée, ce sont les divers dysfonctionnements et maladies que finit par manifester le corps, à force de puiser dans ses propres réserves pour assimiler ce qu'on lui donne, et de stocker comme il peut les toxines qu'il ne parvient plus à éliminer intégralement.

À l'inverse, la mise en œuvre d'un programme de détoxination et de détoxification, ou l'adoption d'un régime alimentaire plus sain peuvent se traduire dans un premier temps par... des malaises, des nausées, des éruptions cutanées, des diarrhées, etc. Ces signes, parce qu'ils *ressemblent* à s'y méprendre à un début de maladie, peuvent donner l'impression à celui qui les présente de faire fausse route alors qu'ils sont au contraire l'indice que le grand ménage a commencé à l'intérieur de son corps, qui se met à évacuer ce qui le gêne par la porte, la fenêtre et même la cheminée ! Il faudra quelque temps avant que les bénéfices de ces changements salutaires ne se manifestent pleinement dans sa vie.

Une sensation positive (comme le coup de fouet, ci-dessus, ou le *high* de l'héroïnomane) peut donc cacher un processus destructeur, et inversement un symptôme négatif peut accompagner un changement salutaire. Les mêmes apparences peuvent ainsi signifier des choses tout à fait différentes, comme nous le rappellent quotidiennement le soleil et la lune, aux diamètres apparents si semblables, aux trajets visibles si ressemblants, dont l'un est pourtant fixe par rapport à la Terre et distant d'elle de 150 milliards de kilomètres, tandis que l'autre n'est qu'à 384 500 kilomètres de nous et gravite autour de notre planète. Galilée nous a appris à ne pas nous fier à nos seuls sens (on « voit » le soleil se lever et se coucher tous les jours), pour faire aussi appel à notre raison : ce discernement ne s'applique toutefois pas qu'aux phénomènes célestes, mais à de nombreux aspects de notre vie quotidienne.

Une histoire résume bien cette ambiguïté des apparences : un jour d'hiver, en se promenant dans la forêt, un homme vit un oiseau à terre, transi de froid. Il le prit et, pour le réchauffer, le déposa un peu plus loin sur une bouse de vache fraîche, encore toute chaude, avant de poursuivre son chemin. Quelques instants plus tard, un renard qui passait par là entendit l'oiseau chanter, signe que les forces lui revenaient : il le sortit de la bouse… et le dévora ! Moralité : ce n'est pas parce qu'on nous met dans la m…

qu'on nous veut du mal, et ce n'est pas parce qu'on nous en tire qu'on nous veut forcément du bien !

À bien y regarder, d'ailleurs, il semble que la plupart des phénomènes observables puissent exprimer des intentions et énergies opposées. La même grimace, on l'a dit, peut exprimer tantôt la souffrance, tantôt la félicité intense. Le rire peut manifester la joie comme le cynisme sadique. On peut pleurer de joie, de chagrin, ou par caprice. Chez les personnes atteintes de maladies graves, un mieux-être soudain peut annoncer ici le début d'une guérison et là être le chant du cygne avant une mort toute proche. La dénutrition grave peut provoquer des états qui ne sont pas sans rappeler les extases mystiques. Une attitude austère peut aussi bien être l'expression d'un caractère glacial que le masque d'une hypersensibilité. Et ainsi de suite.

Autrement dit, les apparences seules ne signifient rien, voire peuvent exprimer des messages totalement opposés. On dit bien qu'elles sont trompeuses et qu'il ne faut pas s'y fier. Mais le dire ne suffit pas : une injonction négative n'est guère utile, dans la mesure où elle ne nous indique pas quoi faire à la place de ce qu'elle proscrit. Pire, des recherches en psychologie montrent que le cerveau ne retient pas la négation et tend donc à faire justement ce qu'on lui recommande d'éviter (Exemple : dire « Ne va pas vers le trou ! » à un enfant en vélo est le meilleur moyen de focaliser son attention dessus et de contribuer à l'y faire tomber !). Nous devons donc former notre esprit à discerner les forces, les intentions, la finalité que masquent des apparences données : à quoi servent-elles ? Vers quel but tendent-elles ? Quels sont le sens et l'orientation de ce qui les anime ?

Cette investigation de la nature profonde des êtres et des choses demande toujours du *temps*. Coupez un morceau de plomb, vous verrez briller la surface fraîchement mise à jour ; mais quelques minutes plus tard, elle aura perdu tout son éclat et sera devenue aussi terne que le reste du métal. Le plomb justement correspond à Saturne[1], le vieillard Chronos, le Temps. Transformer le plomb en or, la vieille ambition alchimique, peut signifier ici passer du superficiel, de l'éphémère, du clinquant, du trompeur, à ce qui est authentique, profond et stable. Troquer la recherche de stimulations, de satisfactions et gratifications immédiates – propre à l'immaturité – contre la quête de ce qui est patiemment acquis, solide et durable. Le temps, ennemi de l'impulsif et du jouisseur, est l'allié du sage qui voit en lui le plus impartial des juges. Vous voulez connaître la valeur d'une idée, d'une pensée, d'un sentiment, d'un projet ? Soumettez-les au temps et voyez s'ils conservent leurs qualités de départ ou si, comme le plomb, ils ont tôt fait de se ternir, de perdre toute valeur et tout intérêt. Vous voulez savoir si ce qui vous motive est inspiré par l'impulsivité ou la sagesse ? Laissez le temps vous répondre : attendez quelques jours, voire quelques semaines, et voyez

1. Le saturnisme est une intoxication au plomb.

ce qu'il advient de ce qui vous animait. De même que de deux jeunes pousses qui se ressemblent, le temps vous indiquera laquelle est une plante qui croîtra et mourra en une seule saison et laquelle est un arbre qui vivra cent ans, de même il distinguera l'impulsion passagère et sans lendemain de l'idée qui s'enracine dans ce qu'il y a de plus profond en vous.

Une ressemblance purement superficielle ne soutient pas l'épreuve du temps : chaque forme étant l'expression provisoire d'une intention, d'une idée, d'une force vitale, elle évolue toujours dans le sens de sa nature profonde : le fond finit tôt ou tard par se révéler. Inversement, lorsque deux individus très différents partagent une même dynamique intérieure, une même orientation ou un même idéal, le temps finit par faire ressortir entre eux des ressemblances que rien ne laissait présager au départ : une même émanation, un même regard, quelque chose dans l'attitude et le comportement d'étonnamment proche. On distingue cela par exemple chez ceux qui partagent une même foi, une même vocation ou une passion identique.

La métaphore de l'aube et du crépuscule a encore autre chose à nous enseigner. Leur ressemblance concerne des moments de *transition* : dans les deux cas, le soleil s'apprête à franchir la ligne d'horizon, tantôt dans un sens, tantôt dans l'autre ; tantôt à l'est, tantôt à l'ouest. Il est à mi-course : ni au zénith ni au nadir. D'où une certaine indétermination, la possibilité d'une équivoque.

Par contre, aucune confusion n'est possible entre midi et minuit, c'est-à-dire entre les points culminants de son parcours, au nord et au sud.

Symboliquement parlant, c'est donc toujours dans la *zone médiane* que les confusions sont possibles, dans la *moyenne*, entre les extrêmes, dans ce qui n'est pas clairement déterminé. Dans les biorythmes, par exemple, ces trois courbes qui représentent nos cycles physiques, émotionnels et mentaux, ce ne sont pas les points inférieurs de chaque sinusoïde qui sont inquiétants, contrairement à ce qu'on imaginerait *a priori*, mais ceux où la courbe franchit la ligne médiane, dans un sens ou dans l'autre. Ce sont dans ces moments-là que notre vulnérabilité est la plus grande (certaines compagnies aériennes évitent par exemple de faire voler leurs pilotes ces jours-là ; de même, certains chirurgiens déconseillent à leurs patients de se faire opérer à ces dates).

Personne ne confond le blanc et le noir, mais les teintes de gris se ressemblent. On ne confond pas davantage les saints et les tyrans, mais entre deux existe toute une zone où ce qui anime et motive vraiment les êtres est plus difficile à déterminer, où l'on trouve aussi bien le flic « ripou » que le délinquant au grand cœur. Or cette zone médiane est justement celle qui caractérise la vie de la plupart d'entre nous, la majorité de ceux que nous croisons, et se situe dans cette bande intermédiaire entre les extrêmes en tous genres. Nous ne vivons ni dans un monde de bien et de pure lumière, qui serait symboliquement « midi », ni dans un monde de mal et de ténèbres, symbole de « minuit ». Nous évoluons en permanence dans un milieu en teintes de gris – « auroral » pour les uns (qui croient en l'avènement proche d'un monde meilleur) ou « crépusculaire » pour les autres (pour qui le monde court visiblement à sa perte), pour rester dans notre métaphore – où toutes les confusions et les faux-semblants sont possibles. Les promesses de ce candidat sont-elles sincères ou seulement destinées à gagner ma voix ? Les arguments de ce commercial sont-ils vrais ou essaie-t-il juste de me fourguer son produit ? Les compliments de mon interlocuteur sont-ils sincères ou délibérément flatteurs ? Ces questions et d'autres de même nature sont notre lot quotidien, et leurs réponses sont rarement tranchées. Dans cette zone médiane, entre chien et loup, tout et son contraire se ressemble à s'y méprendre, comme l'aube et le crépuscule. Quand la lumière extérieure est insuffisante pour discerner clairement les choses, c'est à ses propres lumières intérieures que chacun est convié à faire appel pour la compenser. Cette lumière qui doit symboliquement jaillir de notre tête est celle du discernement, celle des éclairages multiples que nous devons veiller à jeter sur toutes choses, pour en discerner les reliefs et les contours, ou, mieux encore, celle du sonar qui permet de voir au-delà de la surface des choses et d'en distinguer les processus internes.

Dans la mesure où le temps constitue la clé de cette métaphore, agissant comme un révélateur de la nature véritable des êtres et des choses, celle-ci nous invite également à ne pas céder au culte du « temps réel », de l'immédiat, que favorise notamment la technologie dont nous disposons aujourd'hui. À réapprendre à prendre son temps. À laisser mûrir les choses, les relations et les situations avant de se prononcer, pour éviter de regretter un jugement hâtif. À savoir aussi utiliser la bonne échelle de temps pour chaque situation. À la question « Que pensez-vous de la démocratie ? », on prétend que Mao aurait répondu : « Rien : elle est beaucoup trop jeune. » Vraie ou non, cette réponse très chinoise est pleine de bon sens : on ne mesure pas l'âge, et donc les qualités, d'un pays su la même échelle que celle d'un individu ou d'une entreprise. Chacun a un cycle de vie d'une longueur très différente, ce que semblent oublier nombre de journalistes et d'éditorialistes qui portent des appréciations immédiates sur tous les événements de l'actualité – comme l'exigent les publications pour lesquelles ils écrivent et comme l'attend le public – sans nécessairement les inscrire dans l'échelle temporelle qui leur correspond… et sans attendre non plus que quelques jours, semaines ou mois, selon les cas, permettent d'y voir plus clair, comme une eau vaseuse, troublée par la chute d'une pierre, retrouve naturellement sa limpidité une fois la vase retombée au fond.

Quel recul avons-nous sur la plupart des innovations technologiques de ces cent dernières années ? Pratiquement aucun. Les avantages que nous leur trouvons, le « progrès » auquel nous les associons, les bienfaits dont nous les estimons responsables sont-ils réels ou ne sont-ils qu'une illusion éphémère – cinquante ou cent ans restent éphémères, au regard de siècles et de millénaires ! – comme le « coup de fouet » d'un repas trop lourd, dont nous découvrirons la véritable nature par la suite ? La productivité accrue des débuts de l'agriculture chimique, par exemple, a tout d'abord semblé relever du miracle, mais le miracle est devenu mirage quand on a commencé à dresser sa facture écologique et sanitaire. De manière analogue, au-delà des effets positifs immédiats des vaccins et des antibiotiques, mais aussi de bon nombre d'autres médicaments allopathiques, on voit apparaître un affaiblissement de l'immunité chez une portion croissante de la population, on constate l'apparition de nouvelles maladies, la multiplication des allergies, et j'en passe, qui laissent songeur quant au bilan véritable de ces progrès de la médecine. Il n'y a de progrès véritable que durable, or il semble que dans de nombreux domaines, aujourd'hui, nous en soyons au surlendemain qui déchante, après les lendemains qui chantaient. L'aube d'un affranchissement de l'humanité (une petite minorité de sa population...), de certains cycles et contraintes de la nature et du corps ne serait-elle que le crépuscule des illusions du mental humain, coupé de son enracinement naturel, de son contact avec le réel ? Il y a dans le gaspillage faramineux de ressources propre à notre époque, dans cette course à la jouissance et à l'exploitation de la planète comme un grand parc d'attractions pour Occidentaux, dans cette façon de tout consommer et consumer, quelque chose qui relève plus du bouquet final d'un feu d'artifice, au terme duquel il pourrait faire bien noir, que de cette explosion de vie et de ce jaillissement floral que constitue tout nouveau printemps authentique, comme en ont connu nombre de civilisations et de cultures. S'il est encore un peu trop tôt pour se prononcer, il est permis et même vivement recommandé de se poser la question.

Des aubes et des crépuscules ponctuent sans cesse notre vie, à des échelles de temps différentes, à la fois individuelles et collectives : d'un côté des grossesses, des gestations, des préparations sur le point d'aboutir à de nouvelles naissances, de nouvelles créations, de nouveaux projets ; de l'autre, l'ultime éclat flamboyant de l'automne avant l'hiver, les dernières lueurs d'un incendie, le sursaut final avant le grand saut, avant la nuit, la fin, la mort. La métaphore de ce chapitre nous invite au discernement, au dépassement des apparences ressemblantes, afin de déterminer en toute circonstance la signification profonde et véritable des lumières qui nous entourent et de pouvoir anticiper avec précision un nouveau jour ou une nouvelle nuit. Laissons le mot de la fin à Jean Guitton : « Dans le moment confus que nous appelons "temps présent", nul ne peut savoir ce qui est cendre et ce qui est essence, ce qui est poussière et ce qui est germe. »

6

Même lorsqu'elle recule, la rivière avance : trajectoire changeante et pente constante

Si l'on regarde le tracé d'une rivière sur une carte, entre sa source et le fleuve où elle se jette, on la voit tantôt avancer droit, tantôt zigzaguer, parfois même repartir momentanément en sens contraire. Celui qui naviguerait sur ses eaux pourrait avoir le sentiment d'hésitations et de contradictions permanentes dans son parcours.

Il arrive même à ses flots de stagner longuement, quand ils se jettent dans un marais ou un lac qu'ils remplissent, avant de reprendre leur course de l'autre côté.

Pourtant, si l'on étudie une coupe latérale du terrain où s'écoule cette rivière, on constate qu'elle ne cesse jamais un instant de progresser le long de la pente qui la conduit inexorablement jusqu'au fleuve. Même ses revirements, même ses zigzags et ses stagnations font partie du trajet le plus court vers son embouchure, compte tenu des obstacles présents sur sa route.

A-t-on jamais vu le moindre cours d'eau remonter une pente… ?

Le cours de notre vie ressemble à bien des égards à celui d'une rivière, avec ses méandres et ses revirements. On peut par moments avoir l'impression de reculer ou de stagner, de ne plus progresser ou de mener une vie faite de contradictions permanentes. On s'était imaginé un parcours régulier, comme ces droites et ces courbes exponentielles dont on apprend les belles équations en mathématiques, et voilà qu'il ressemble plutôt à des montagnes russes, avec des hauts, des bas, des revirements en tous genres ! Tantôt des obstacles se dressent sur notre route, comme les collines et les montagnes sur le trajet d'une rivière, nous forçant à quitter l'autoroute que nous avions déjà projetée en pensée, pour emprunter des chemins sinueux qui semblent nous faire revenir sur nos pas. Tantôt des périodes de stagnation, des bassins petits ou grands, engloutissent momentanément nos flots, nous retardant longuement au même endroit, avant de pouvoir retrouver une pente propice.

Sitôt que le cours de notre vie s'écarte de celui que nous avions projeté, nous nous accablons de reproches et de jugements, ou bien nous pestons contre le destin qui refuse de se plier à nos volontés.

Combien de fois, pourtant, constate-t-on avec le recul que ce chemin-là était en fin de compte le plus approprié, celui qui nous préparait le mieux aux prochaines étapes de notre vie, voire le plus court trajet vers notre objectif final ? Combien de fois avons-nous justement fait sur ces

« détours » des rencontres importantes ou des découvertes indispensables à la suite du parcours… ?

La rivière nous enseigne donc l'humilité, elle nous montre que le cours de notre vie obéit souvent à des forces qui nous dépassent, avec lesquelles la sagesse nous apprend à composer. Elle est aussi le symbole de l'adaptabilité, de la fluidité, d'une intelligence[1] qui sait tirer profit de toutes les situations, y compris des plus contrariantes, pour poursuivre irrésistiblement sa course vers le but qu'elle s'est fixé.

Mais c'est plus encore dans nos rapports avec autrui que cette métaphore se révèle pertinente. En effet, de la vie des autres, nous ne percevons au départ que l'extérieur : nous voyons leurs actes, semblables aux méandres visibles de la rivière. En revanche, il nous est plus difficile de deviner ce qui anime et motive les gens de l'intérieur, l'objectif vers lequel tendent leurs forces : nous ne distinguons pas forcément la pente qu'ils suivent, le fleuve où ils veulent parvenir à se jeter, symboliquement parlant, c'est-à-dire la destination qu'ils cherchent à atteindre. Si nous nous jugeons nous-mêmes d'après nos propres *intentions*, nous avons en revanche tendance à juger autrui à la lumière

---

1. Edward de Bono a inventé la notion de « *water logic* », logique aquatique, par opposition à la logique habituelle qu'il nomme « *rock logic* », la logique de pierre, pour désigner cette capacité de l'esprit à suivre avec fluidité le cours d'une idée.

de ses *actes*… et en lui prêtant de surcroît *nos* intentions les moins louables ! La rivière nous invite donc elle aussi à dépasser les apparences, à nous efforcer de discerner les courants profonds qui régissent l'existence d'autrui… quitte tout simplement à poser des questions pour mieux les comprendre, plutôt que de tirer tout seul des conclusions superficielles.

La différence entre le trajet sinueux de la rivière et sa pente constante illustre en fait la distinction entre deux notions que l'on confond souvent : la *continuité* et la *cohérence*. La première est extérieure, la seconde intérieure. Pour préserver la cohérence interne de notre vie, c'est-à-dire nos valeurs, notre idéal, le sens que nous donnons à notre existence, nous sommes parfois contraints d'en rompre la continuité : nous changeons de travail, de lieu de résidence, de partenaire, d'opinion, de religion, même, et j'en passe. Sous des formes changeantes, nous poursuivons en réalité un même but. Mais de l'extérieur, faute de percevoir le fil conducteur − la pente constante − qui ordonne ces changements, tout en leur donnant sens, certains nous qualifieront de versatiles, d'inconstants et autres qualificatifs négatifs. *A contrario*, quelqu'un peut tout à fait préserver une grande continuité dans sa vie, au plan professionnel, social, familial − que son entourage verra sans doute d'un bon œil −, tout en ayant perdu sa cohérence interne : il n'agit plus que par habitude, machinalement, en pilote automatique, et ses actes ne sont plus en accord avec ce en quoi il croit, avec ses valeurs, ses espoirs, ses ambitions. Sa vie n'est plus une rivière vivante, mais un canal au cours certes réglé, linéaire et prévisible, dont aucun écart, aucune crue soudaine n'est à craindre, mais qui ne vivifie plus rien non plus sur son passage. Pire, parfois : un marécage stagnant a remplacé le cours d'eau bien vivant.

La métaphore de la rivière nous incite donc à nous montrer prudents dans les jugements hâtifs sur autrui, mais aussi sur des entreprises, des associations, voire des pays tout entiers. Les nations entre elles sont aussi promptes que les individus entre eux à émettre des appréciations sévères sur leurs évolutions et méandres respectifs, à juger ponctuellement leurs actes, comme on critiquerait la présence de cascades sur tel cours d'eau, son enfermement provisoire entre deux falaises escarpées ou encore sa longue plongée souterraine sous quelque relief dont il ressortira plus loin, sans comprendre le courant historique qui les parcourt, la géographie spécifique de leur culture et les changements de « climat politique » qui viennent grossir ou affaiblir les flots humains qu'elles charrient.

En outre, l'ère du « temps réel », de l'info immédiate, favorise les opinions-minute et autres appréciations à l'emporte-pièce sur tous les sujets, comme en témoignent aussi bien les conversations de bistrot que la presse et les journaux télévisés. La rivière nous invite plutôt à plonger sous la surface, à tenter de comprendre la dynamique profonde qui oriente le cours de leurs actes, en particulier quand ceux-ci nous déconcertent. Ce qui, à court terme, peut sembler être un recul, une erreur, une contradiction, voire un malheur (des remous ou une « chute » sur le parcours de l'eau), peut se révéler plus tard un passage obligé obéissant à une sagesse plus profonde. La catastrophe apparente d'hier peut ainsi devenir la bénédiction de demain.

Je me souviens par exemple de familles texanes interviewées par une chaîne de télévision, juste après le passage d'un cyclone qui avait totalement détruit leur quartier et rasé leur maison. Ces gens étaient en larmes, sous le choc, effondrés. Ils avaient tout perdu : maison, possessions, souvenirs. En l'espace de quelques heures, leur vie avait basculé dans le chaos. Intelligemment, la même chaîne avait recontacté tous ces gens un an plus tard, pour découvrir ce qu'ils étaient devenus depuis. Or, surprise, plusieurs estimaient avec le recul que ce cyclone était la meilleure chose qui leur soit jamais arrivée ! Cette catastrophe leur avait offert un nouveau départ, ils avaient pu tout redémarrer à neuf, comme ils ne l'auraient sans doute jamais fait par eux-mêmes, avec pour résultat une nouvelle vie beaucoup plus satisfaisante. Ce « revers » qu'avait imposé un désastre naturel au cours régulier de leur existence leur avait finalement permis de retrouver une pente plus vivante, un alignement plus juste sur ce à quoi ils aspiraient fondamentalement.

Ce long fleuve qu'est la vie n'est certes pas tranquille – une eau qui stagne devient vite marécageuse et pestilentielle

—, mais son mouvement a un sens, même si on n'en comprend parfois la logique qu'*a posteriori*.

Cette rivière qui peut à la fois reculer, zigzaguer ou stagner, tout en progressant irréversiblement vers son but, est également une magnifique illustration de la notion de *paradoxe*. La pensée binaire devenue la norme aujourd'hui en Occident ne conçoit les choses qu'en terme d'opposition : être ou avoir ; agir ou laisser faire ; donner ou prendre ; exercer son libre arbitre ou se soumettre à son destin ; etc. La rivière, elle, nous enseigne qu'on peut faire deux choses contradictoires en même temps... à condition de les faire dans *deux plans distincts*, tout simplement.

L'axe vertical, la pente que suit l'eau, est celui de la constance, de la régularité, de la stabilité. L'axe horizontal, où se dessinent les méandres, celui des changements, des revirements. La rivière est à la fois stable et changeante, à la fois obstinée dans sa progression dans la pente et souple dans sa façon de gérer les accidents du relief. Comme elle, nous pouvons apprendre à concilier astucieusement les contraires.

Je peux par exemple avoir des valeurs et principes stables (verticalité), que je manifeste à travers une pluralité d'activités différentes (horizontalité) : je suis ainsi constant et changeant, ferme dans mes buts et souple dans mes moyens, un dans l'intention et multiple dans le passage à l'acte. Je peux être très volontaire et décidé dans les buts que je poursuis, comme l'agriculteur qui choisit ses cultures, retourne le sol et sème ses graines ; et je peux conjointement être dans le lâcher prise et l'acceptation des circonstances, comme le paysan laisse la terre, l'eau et le soleil se charger de faire pousser en temps voulu ce qu'il a semé.

La vie est intrinsèquement paradoxale. Il n'est rien qui ne porte en soi son opposé, son complément, le plus souvent sous une forme cachée. À commencer par nous. Depuis Jung, on sait que chaque homme possède sa femme intérieure (son *anima*) et chaque femme, une contrepartie masculine (son *animus*). De même, aux yeux de l'homme de foi, nous sommes simultanément mortels, dans le corps, et immortels en esprit. De plus, nous sommes à la fois uniques, distincts et séparés des autres, comme autant de gouttes d'eau individuelles, tout en faisant un avec le cosmos tout entier, l'océan de la vie et toutes les créatures qui le peuplent, comme l'ont vécu des milliers de gens lors d'extases mystiques ou en état non ordinaire de conscience. Autre paradoxe : nous sommes à la fois libres et assujettis, comme la rivière est soumise à la pente qu'elle suit, mais libre de contourner les obstacles qui s'opposent à sa progression. D'un côté, l'existence physique nous impose un grand nombre de contraintes, du corps dont nous avons hérité à notre obligation de respirer et de manger, en passant par toutes les conditions extérieures sur lesquelles nous n'avons aucune prise (climat, contexte historique, etc.) ; de l'autre, nous avons potentiellement accès à une immense liberté intérieure : liberté de penser, liberté de décider *comment* et *pourquoi* nous faisons même ce qui nous est imposé. Un Gandhi, un Mandela ou un Viktor Frankl, par exemple, ont ainsi pu être plus libres en prison ou en camp de concentration que nombre d'individus *libres*… de leurs mouvements seulement.

Dans un autre domaine, les physiciens nous enseignent que l'univers est à la fois infini *et* limité, ce que notre mental binaire peine à concilier. Le brin d'herbe est fragile dans sa structure, mais souple dans son mouvement, ce qui lui donne la force de résister au vent ; le chêne est solide dans la forme, mais rigide dans ses mouvements, ce qui l'empêche de plier et le rend susceptible de se briser. Nulle force sans faiblesse concomitante ; nulle ombre qui ne soit due à une lumière.

On peut aussi illustrer l'idée de paradoxe par une autre métaphore, celle du pendule de Foucault : en effet, celui-ci possède un point d'attache fixe et immuable tout en haut[1], et une masse à l'extrémité inférieure du fil, susceptible d'avoir une très grande amplitude de mouvement. Le pendule incarne à la fois la fixité et la mobilité. Face aux immanquables aléas de la vie, semblables aux allers et

---

1. On en trouve un par exemple dans le plus haut bâtiment du Deutsches Museum de Munich, de près de vingt mètres de long, aux amples oscillations qui marquent les minutes de la journée, en faisant tomber de petits bâtonnets.

retours de sa masse, le pendule nous invite à trouver un point d'ancrage élevé pour notre conscience. Celui qui s'identifie à la masse en mouvement se sent ballotté par la vie dans tous les sens (ou parfois immobilisé de force), tandis que celui qui élève sa conscience jusqu'au point d'attache apprend à tirer profit de toutes les oscillations possibles de son existence.

Nous sommes, dernière image, comme les rayons d'une roue : nous avons le choix de placer notre conscience dans l'extrémité de tel ou tel rayon qui touche la jante en mouvement, jusqu'à en attraper le tournis, ou plutôt dans l'autre extrémité qui se rattache au moyeu, au centre stable et immobile qui coordonne les mouvements de tous les rayons. Rivière, pendule ou roue : trois exemples différents qui incarnent à leur façon les mêmes principes, le même alliage paradoxal de constance et de changement qui caractérise la vie.

Avec ses méandres et les interprétations contradictoires que nous sommes susceptibles de faire du cours qu'elle suit, la métaphore de la rivière évoque aussi l'histoire chinoise suivante, souvent contée. Un fermier chinois voit un jour sa jument s'échapper de son enclos et galoper au loin. « Quel malheur ! » s'écrie son voisin. « Bonheur, malheur : qui sait… ? » répond le fermier. Le lendemain, la jument revient avec dix étalons. « Quelle chance ! » dit alors le voisin. « Chance, malchance… qui sait ? » redit le fermier sagace. Le jour suivant, l'un des étalons rue et brise la jambe du fils du fermier. «Ah, quel malheur!» se lamente à nouveau le voisin. «Bonheur, malheur...» répète inlassablement le fermier philosophe. Le lendemain, des recruteurs de l'armée impériale ratissent la campagne pour embarquer tous les jeunes en âge de combattre pour l'empereur: invalide, le fils du fermier n'est pas recruté. «Quelle chance!» jubile le voisin... et ainsi de suite! Conclusion: aucun événement n'a de signification unique et définitive. Il n'en acquiert, temporairement, qu'en fonction de la façon dont nous le relions à ceux qui le précèdent et à ceux qui le suivent... jusqu'à l'événement prochain! On ne comprend pleinement les méandres d'un fleuve que lorsqu'on relie sa source à son embouchure. Tant qu'une vie n'est pas achevée, même ses épisodes les plus négatifs, en apparence, peuvent faire l'objet d'une appréciation toute nouvelle, à la lumière de ce sur quoi elle débouchera finalement: la vie de nombreux saints en témoigne, qui ont parfois commencé par mener une vie de sybarite, par exemple.

La double appréciation — horizontale et verticale — du parcours d'un cours d'eau illustre enfin deux organes et deux fonctions qui sont les nôtres: la tête et le cœur, la pensée et le sentiment. L'intellect a une perception superficielle des choses, c'est lui qui verra le tracé visible de la rivière. Ses «lumières» sont pareilles à celle du soleil ou d'une lampe qui, tout en éclairant un objet et en en révélant à la fois la forme, les contours et la couleur, ne peut en pénétrer la matière et doit s'arrêter à sa surface. Nous l'avons vu, tout le vocabulaire qui se rapporte au mental est emprunté à la lumière. Le cœur permet de pénétrer les êtres et les choses et d'en avoir une perception plus profonde, intérieure, comme celle nécessaire à discerner le but ultime que cherche à atteindre la rivière, au-delà de ses méandres apparents. Le vocabulaire du sentiment, quant à lui, est emprunté à la chaleur qui a précisément la capacité de pénétrer les objets en profondeur. Dans notre culture, où l'intellect est mis sur un piédestal, où le mental monopolise toute l'attention des éducateurs (qui négligent le cœur et le corps, pour ne rien dire de l'âme), où l'on préfère les gens « brillants » à ceux qui sont simplement chaleureux, les lumières intellectuelles l'emportent sur toute appréciation venant du cœur. Or nous avons autant besoin de la pensée que du sentiment pour apprécier les autres et les situations. La rivière nous rappelle donc qu'aussi riche, éclairante et utile que soit la perception intellectuelle des choses elle reste incomplète sans la profondeur et la sensibilité qu'apporte celle du cœur. À l'horizontalité de nos jugements mentaux, qui ont leur pertinence relative, elle nous rappelle d'ajouter la verticalité d'une perception affective au-delà des apparences, afin de mieux connaître les inclinations profondes et la cohérence cachée des comportements.

Tons fondamentaux et nuances : pas de relatif sans absolu

Le réel est continu, mais nos sens le découpent pour mieux l'appréhender. Dans le continuum sonore, nous avons isolé les sept notes de la gamme. Dans le continuum de la lumière, nous avons déterminé sept couleurs : rouge, orange, jaune, vert, bleu, indigo, violet. Ce découpage rudimentaire est très utile pour se parler, se comprendre et décrire les choses. Mais, en réalité, notre œil perçoit plusieurs millions de nuances de couleurs différentes et notre vocabulaire complet en décrit au moins quelques dizaines. Il n'y aurait pas de « nuances », s'il n'y avait pas de tons clairement définis. Il est nécessaire d'oser trancher dans le réel pour en extraire de grandes catégories clairement distinctes : le noir et le blanc, les couleurs du prisme. Puis il est tout aussi nécessaire de nuancer ce découpage arbitraire pour prendre en compte toute la diversité du réel. Nous avons besoin des deux : des tons fondamentaux et des nuances, des grands découpages et des moindres subtilités.

Observez le déroulement de l'éducation. L'enfant commence par apprendre les tons fondamentaux, les grands découpages, les extrêmes, les distinctions les plus fortes. Quand mon fils aîné avait quatre ans, par exemple, il a passé des jours, sinon des semaines, à me questionner chaque matin sur le trajet de l'école pour connaître tous ces repères extrêmes et ces limites : qui est le plus fort, qui est le plus gros, le plus rapide, le plus méchant, le meilleur, le plus intelligent, le plus mauvais, le plus lourd, le plus haut, etc. ?

Il est important que l'enfant apprenne ces tons fondamentaux et ces distinctions ultimes, sans nuances. Ce n'est surtout pas le moment de vouloir relativiser les choses à ses yeux, de lui enseigner qu'elles ne sont pas forcément en noir et blanc, qu'il y a d'infinies teintes de gris, etc. Non. Il lui faut des repères très clairs qui lui permettent de mettre un cadre structurant à ses perceptions. Les contes pour enfants présentent d'ailleurs des personnages très tranchés : la méchante sorcière, la bonne fée ou, pour faire plus moderne, Lord Voldemort et Dumbledore, dans la série des *Harry Potter*. Il n'y a pas de milieu, pas de demi-teinte, pas de nuance. Dans les versions originales de nombreux contes, non seulement les bons étaient dûment récompensés, mais les méchants étaient souvent atrocement punis, comme le rappelle Bruno Bettelheim[1]. À leur lecture, l'enfant acquerrait ainsi un sens de la justice très clair.

1. *Psychanalyse des contes de fées*, B. Bettelheim, Pocket, 1999.

C'est seulement une fois qu'il a solidement acquis ces distinctions fondamentales qu'il peut progressivement remplir l'espace qui les sépare des centaines, puis des milliers de nuances du réel. Mais il ne faut pas griller les étapes, au prétexte de vouloir éviter à l'enfant une mentalité trop manichéenne et de s'assurer qu'il acquiert au plus tôt un discernement nuancé… sans quoi il vivra tout simplement dans un monde flou, indéterminé, où rien ne se distingue vraiment de rien, où il n'y a plus de valeur, où plus rien n'est juste ou faux, bon ou mauvais, où finalement tout se vaut, où ne prévalent aucune morale, aucune éthique, aucun repère.

Historiquement parlant, la loi du Talion – « Œil pour œil, dent pour dent » – a précédé ces nouvelles lois apportées beaucoup plus tard par Jésus : « Aime ton prochain », « Pardonne à ton ennemi », « Tends l'autre joue ». Cette séquence historique a une pertinence indéniable qu'il convient sans doute de respecter dans le processus éducatif, si l'on prend conscience que l'amour est en réalité une *injustice*, comme aimait à le relever un vieux sage qui m'est cher, par l'anecdote suivante. J'achète 1 kilo de cerises au marché. Si le marchand m'en met quelques poignées, puis retire quelques cerises pour arriver pile à 1 kilo, au gramme près, il sera *juste*, certes, mais je le trouverai un peu près de ses… cerises. Si, par contre, il y a déjà un bon kilo sur sa balance et qu'il en rajoute généreusement une poignée avec le sourire, il sera *injuste*, mais s'attirera toute ma sympathie. Et ce sage de faire cette précision intéressante : il y a *une* justice (le juste poids, dans cet exemple), mais *deux* injustices, celle qui donne *moins* que ce que l'on mérite, et celle qui donne *plus*. Une injustice qui nous frustre de notre dû, et une qui nous comble au-delà de nos attentes. Un solide sens de la justice permet donc de mieux apprécier cette forme supérieure d'injustice qu'est l'amour.

A contrario, demander trop tôt à un petit enfant de pardonner, de «tendre l'autre joue», etc., risque de développer en lui un réel sentiment d'injustice, sans parvenir à lui inculquer les vertus qu'on croit ainsi lui transmettre. La règle (la justice) doit précéder l'exception (l'amour, la clémence, le pardon), sans quoi l'exception n'en est plus une, mais passe pour l'absence de règles, de même que la nuance n'a de sens qu'en fonction du ton fondamental clairement déterminé auquel elle se rapporte.

Ce principe des tons fondamentaux et des nuances s'applique à de nombreux autres domaines. Ainsi, quand on définit un nouveau concept — qu'il s'agisse d'une théorie scientifique, d'un concept philosophique ou de quoi que ce soit de nouveau —, il faut tout d'abord en tracer les grandes lignes, en dégager les repères principaux, de manière très tranchée. Bien sûr, cela prête le flanc à la critique, comme tout discours carré, bien anguleux, qui donne prise aux détracteurs.

Mais, en même temps, cette façon de faire permet à chacun d'acquérir ces notions, précisément parce qu'elles sont «compréhensibles», c'est-à-dire étymologiquement parlant qu'on peut les «prendre avec soi», se les approprier intellectuellement, car ils sont anguleux et non insaisissables comme du savon.

Voilà dix ans, j'ai eu l'occasion de publier deux ouvrages de politique suisse. Le premier auteur avait un esprit de consensus – très helvétique – remarquablement développé, et un sens de la nuance d'une rare finesse : les thèses qu'il avançait dans ce livre étaient ainsi constamment pondérées, tempérées, relativisées... au point qu'à la fin de l'ouvrage, tout en admirant le tact, la subtilité et la diplomatie de l'auteur, force était de constater qu'on ne se rappelait plus guère l'idée qu'il s'efforçait de mettre en avant. Il échappait de la sorte à toute critique... mais qui se soucierait de critiquer quelque chose qui au fond ne menace rien ni personne ? Le second auteur, en revanche, écrivait d'une manière beaucoup plus pamphlétaire, tranchée, carrée, qui avait de quoi faire régulièrement sauter de sa chaise le lecteur suisse moyen, élevé dans la culture du compromis. Quand j'ai eu l'occasion de m'entretenir avec lui, j'ai constaté que sa pensée était en réalité infiniment plus nuancée qu'il ne l'exprimait... délibérément ! Il gardait ses nuances, sa pondération et sa capacité à arrondir les angles pour les débats, les échanges et les relations avec les médias et le public. Son objectif en écrivant était que ses lecteurs retiennent les grandes lignes de sa pensée et de ses propositions, qu'ils s'y frottent, s'y heurtent et s'y aggrippent, mais il était parfaitement conscient de la nécessité, par la suite, de les nuancer, de les adapter et de les tempérer au besoin. Pari tenu, puisque dix ans plus tard, j'ai encore clairement à l'esprit l'essentiel de son propos. Et que certaines de ses idées ont réussi à faire un bout de chemin en politique suisse.

La métaphore des tons fondamentaux et des nuances permet également de comprendre les réactions très tranchées que suscitent nombre d'événements à leurs débuts, qu'il n'est souvent possible de nuancer qu'au bout de plusieurs années. L'apparition de la pilule contraceptive, par exemple, symbole de la libération sexuelle des années 1960, s'est accompagnée d'un engouement sans nuance. Ceux qui, assez rapidement, ont tenté d'évoquer les problèmes médicaux qu'elle pouvait provoquer chez certaines femmes, voire chez leurs filles, n'étaient non seulement pas écoutés, mais n'avaient presque pas moyen de s'exprimer à ce sujet. La pilule était comme la bonne fée des contes, et il n'était pas question de suggérer – à cette époque – qu'elle avait peut-être aussi un petit côté sorcière. Il a fallu attendre près de vingt ans pour que, vers le milieu des années 1980, on puisse enfin se montrer plus nuancé sur cette question et aborder les teintes de gris que cachait l'éclat dont on l'avait originalement paré.

On retrouve dans une certaine mesure la même tendance dans la façon dont un peuple appréhende les événements historiques récents, d'autant plus s'il y est personnellement mêlé. Dans un premier temps, les protagonistes d'un conflit font souvent l'objet d'une interprétation très tranchée, voire manichéenne, avec les bons d'un côté et les méchants de l'autre. Il faut parfois plusieurs dizaines d'années avant que les gens soient prêts à entendre qu'il s'est en réalité aussi passé des choses pas très reluisantes du côté des « gentils », et inversement que tout n'était pas noir du côté des « méchants ». De la Seconde Guerre mondiale à la récente guerre en Irak, en passant par le conflit israélo-palestinien, les exemples ne manquent pas pour illustrer les phases successives par lesquelles évolue notre compréhension collective de ces situations.

Si l'enfance est l'âge des tons fondamentaux, des idées clairement tranchées – et pas seulement notre enfance individuelle, mais aussi celle d'un mouvement, d'une société, d'une religion ou d'un pays –, la multiplicité infinie des nuances, des détails, est celle de l'âge mûr et plus encore de la vieillesse. On voit cela jusque dans le jeu des acteurs : là où le jeune premier a le geste ample et vif, le comédien âgé vous émeut par un sourcil qui se lève, un mouvement à peine esquissé… S'agissant d'une culture ou d'une civilisation, plus elle est ancienne, plus on observe chez elle un raffinement croissant de la pensée, des arts, des idées… mais, revers de la médaille, plus il peut également se révéler mal aisé d'y faire naître des choses véritablement nouvelles et clairement affirmées, sinon de manière assez brutale. Une couleur vive au milieu d'un tableau tout en nuances, c'est inconvenant, comprenez-vous !

Nous vivons précisément en Occident une époque où il semble de plus en plus difficile d'affirmer des choses de façon tranchée, de présenter des tonalités claires, vives, distinctes. À force de finesse et de nuances, tout donne l'impression d'être dans le flou, l'indéterminé. On est dans la culture du « ni-ni », ni ceci ni cela : ni vraiment homme ni vraiment femme ; ni de gauche ni de droite ; ni pour ni contre (bien au contraire !) ; on « comprend » soi-disant tout le monde et chaque point de vue, mais en réalité on ne sait plus se situer, on n'a plus de repères distincts, on ne sait plus quelles sont nos valeurs ni comment les affirmer, les exprimer.

Cette situation comporte évidemment le risque d'attirer tôt ou tard l'extrême inverse : le retour brusque de discours simplistes et populistes, les dichotomies brutales, la haine de l'autre, de celui qui est différent, le traçage de lignes de démarcation non négociables pour pallier l'absence de distinctions élémentaires entre les choses, les gens et les situations. C'est l'un des dangers ou l'une des conséquences du discours égalitariste : à vouloir gommer les différences − faute d'apprendre comment composer intelligemment avec elles −, à vouloir tout mettre dans un même ensemble indifférencié, on fait au contraire surgir un besoin de marquer des distinctions primaires, excessives.

Au nom du « non-jugement » − valeur à la mode −, on voit se développer tout simplement le manque de *discernement*, le refus, l'incapacité − ou, pire, la peur − de distinguer clairement les choses, sous peine de commettre un crime contre l'égalitarisme. C'est une dangereuse politique de l'autruche, car les différences ne disparaissent pas sous prétexte qu'on les nie ou qu'on fait mine de les ignorer. Et que le vrai défi consiste à apprendre à les reconnaître sans tricher et à les accepter, à composer avec, sans qu'elles deviennent prétexte à abuser de l'autre. C'est ce que synthétise avec humour cette blague bien adaptée à ce chapitre sur les couleurs : Un chauffeur de bus scolaire du Kentucky en a un jour plus qu'assez d'entendre les écoliers noirs et blancs se lancer des insultes racistes chaque matin. Il les fait tous sortir du bus et leur hurle : « Écoutez-moi bien, maintenant ! Il n'y a plus de Noirs, il n'y a plus de Blancs : vous êtes tous *bleus* ! Bleus, c'est compris ?… Bien. Maintenant, remontez : les bleus foncés derrière, les bleus clairs devant ! »

Comment pouvons-nous donc concilier ce double besoin contradictoire de définitions rigoureuses et de nuances infinies, d'absolu et de relatif ? Une clé, par exemple, consiste à reconnaître qu'à l'origine elles correspondent à deux plans différents :

— dans le monde spirituel, tout est un, indifférencié, unifié, comme l'océan ou la lumière blanche ;

— dans le monde matériel, celui de l'incarnation, chaque chose a sa forme, sa spécificité, comme chaque goutte d'eau ou chacune des couleurs que décompose le prisme. Nous sommes à la fois semblables et différents, car la vie est un paradoxe perpétuel. Semblables par l'esprit qui nous anime, différents par le corps et la personnalité uniques qui sont les nôtres. C'est là l'une des expériences les plus courantes commune aux mystiques, et aux individus ayant vécu une EMI (expérience de mort imminente), les participants à diverses initiations chamaniques ou autres, ou encore ceux qui ont des épisodes spontanés d'éveil de conscience. Comme le dit le Dr Stanislav Grof, psychiatre dont les cinquante années d'exploration de la conscience humaine lui ont valu de recevoir en 2006 le prix de la Fondation Dagmar et Vaclav Havel : « La nouvelle description complète [de l'être humain], qui rappelle quelque peu le paradoxe onde/particule de la physique moderne, décrit les humains comme des êtres paradoxaux comportant deux aspects complémentaires : en effet, ils peuvent à la fois présenter les propriétés des objets newtoniens, mais aussi celles de champs de conscience infinis. » Par notre moi conscient, nous nous sentons distincts, uniques et séparés ; par notre soi, quand nous accédons à cette conscience spirituelle, nous percevons notre unité avec toute vie, avec le cosmos et le divin.

Nier les différences, tout mélanger en un maelström indifférencié, c'est vouloir imposer à la matière les lois qui sont celles de l'esprit. La lumière blanche est une, mais décomposée à travers un prisme de cristal, donc de matière, elle devient multiple, révélant les sept couleurs fondamentales, ou plus précisément les milliers de nuances qui vont du rouge le plus sanguin au violet le plus spirituel.

Nier l'unité commune d'où nous sommes issus, c'est nous couper de ce qui nous lie, c'est priver la matière de ce qui l'anime, la traverse et lui permet d'exister. C'est encore imposer à l'esprit les lois de la matière en le fragmentant, en le coupant et en le divisant de lui-même, sous les milliards de formes qu'il prend en chaque être et chaque chose.

Nous n'avons à nier ni l'esprit ni la matière, ni notre unité ni nos différences. C'est en vivant pleinement ce paradoxe que la vie devient riche, que les échanges sont possibles et fructueux.

Oui, le réel est un : mais sans notre capacité à en extraire des distinctions sensorielles (sucré, salé, amer ; rouge, vert, bleu ; aigu, médium, grave ; lisse, rugueux ; enivrant, nauséabond) ou référentielles (mètres, kilos, watts, volts, litres, etc.), nous n'aurions aucune prise sur ce réel unifié, indistinct et indifférencié.

Oui, nos mesures sont arbitraires, nos découpages subjectifs, mais ils sont indispensables. Et leur multiplicité est l'un des charmes irremplaçables de l'existence. Le langage, par exemple : chaque langue n'est pas seulement un ensemble de mots, mais un découpage du réel, une manière d'appréhender le monde et d'en lier les multiples composantes. Elle nous fait découvrir des aspects et nuances de la réalité qui échappent aux autres : certaines langues n'ont pas de temps (passé, présent, futur) et développent chez ceux qui la parlent une mentalité très différente de la nôtre ; d'autres ne comportent pas les verbes « être » et « aimer », et ainsi de suite. De manière analogue, chaque découpage du continuum sonore en gammes différentes (chromatique, diatonique, heptatonique, etc.) permet de développer des musiques aussi différentes que notre musique classique, la musique indienne, ou encore arabe et japonaise.

Plus nous développerons la conscience de notre unité spirituelle, moins nous aurons besoin de rechercher une uniformité matérielle, plus nous apprécierons du même coup les différences de culture, de race, de mentalité, de religion, de cadre perceptuel, de valeurs, etc. Chaque perception est subjective, chacune révèle des aspects différents du réel et en occulte d'autres, toutes sont complémentaires. Plus on s'ouvre tôt à toute cette diversité et cette richesse, moins on court le risque de considérer *sa* propre langue, *sa* culture, *sa* religion et *sa* vision du monde, comme la bonne, la vraie, celle à l'aune de laquelle il faudrait mesurer toutes les autres.

L'un des dangers de notre époque est de mélanger les genres, de confondre les plans et de vouloir réaliser des choses en bas (dans la matière) d'une façon qui n'est possible qu'en haut (en esprit) : de vouloir mondialiser, globaliser, unifier la forme, alors qu'il s'agit au contraire de développer une vraie conscience spirituelle de notre unité primordiale, pour justement mieux conserver et respecter nos multiples et formidables différences. Prenez des spots lumineux de toutes les couleurs : le mélange de leurs faisceaux respectifs donne du blanc. Prenez maintenant des peintures de toutes les couleurs : leur mélange donne cette fois du noir. Vouloir appliquer à la matière les lois de l'esprit, sans tenir compte des particularités propres au monde matériel, aboutit donc au résultat inverse de celui que nous recherchons : prudence... !

L'un de mes professeurs de philosophie à l'université de Genève, Jacques Bouveresse, aimait à dire : « Tout monisme attire une dualité ; et toute dualité attire un monisme. » La métaphore de ce chapitre montre que toute interprétation trop tranchée des faits attire une multitude de nuances qui la relativise ; et que tout excès de nuances et de relativisme attire le retour d'un découpage plus radical. Avoir conscience de ces deux pôles — l'absolu et le relatif — permet de mieux tirer parti de leurs avantages respectifs, de rester en mouvement et de ne s'enliser ni dans l'un ni dans l'autre.

Les alchimistes travaillaient avec deux processus opposés qu'ils nommaient *solve* et *coagula*. *Coagula*, la phase de coagulation, de densification, correspondrait ici au moment où l'on extrait du continuum unifié et indistinct quelque chose de concret et de délimité. Quant à *solve*, la dissolution, il symbolise le mouvement inverse où l'on relie à nouveau au tout, par affinages successifs, ce qui en a été grossièrement séparé. Comme les alchimistes, la métaphore de ce chapitre nous invite à alterner ces deux façons d'opérer : peut-être, alors, élaborerons-nous aussi une sorte de « pierre philosophale » qui, à défaut de transmuter les métaux vils en or pur, enrichira considérablement notre compréhension des choses et éclairera les étapes cycliques par lesquelles elle s'approfondit constamment.

8

L'étincelle et l'éclair :
le petit à l'image du grand

Lorsqu'on approche lentement une prise mâle d'une prise femelle murale – surtout dans les vieilles maisons –, il se produit à un moment des étincelles, accompagnées de petits grésillements. Ces étincelles et grésillements sont les versions miniatures d'un autre phénomène bien connu : l'éclair qui déchire la nuit, par temps d'orage, et le tonnerre qui gronde quelques instants plus tard. L'étincelle est à l'éclair ce que le grésillement est au tonnerre : ce sont des phénomènes de même nature, mais qui se produisent à des échelles formidablement différentes. Ce que nous percevons habituellement comme deux manifestations distinctes ne sont donc en réalité qu'un seul et même phénomène, observé à deux niveaux d'intensité différents.

Dans la nature comme dans la vie, de nombreux phénomènes présentent une différence *d'intensité*, mais non de *nature*. Les identifier se révèle utile à plus d'un titre, comme nous allons le voir.

Toute vie humaine, par exemple, est ponctuée non seulement de moments de joie, de réussite, d'épanouissement et de bonheur, mais aussi d'épreuves, d'événements douloureux, voire de tragédies. Un certain nombre d'expériences humaines difficiles sont incontournables, et bon nombre de philosophies, de traditions spirituelles et de religions ont notamment pour objectif d'apprendre aux humains à y faire face, à leur donner sens et à les accepter, afin qu'elles les aident à grandir plutôt qu'elles les détruisent.

Ces expériences bouleversantes, par la puissance de leur impact sur notre existence, sont comparables à la foudre : elles peuvent se révéler dévastatrices. Rien n'empêche toutefois de s'y préparer. Et la meilleure façon de le faire, c'est justement de s'entraîner avec les multiples petites étincelles – comme celles que font les conflits, par exemple – qui ponctuent régulièrement notre vie. De la même manière qu'un haltérophile commence par soulever des poids légers avant, au fil de mois et d'années d'entraînement, de développer la force lui permettant de porter des haltères d'une lourdeur impressionnante, nous pouvons considérer les multiples contrariétés que nous subissons jour après jour, aussi minimes soient-elles, comme des occasions de développer la « force intérieure » qui nous permettra, le jour venu, d'affronter des situations d'un « voltage » beaucoup plus important.

Derrière chacune de nos émotions négatives se cache une « contrariété » : l'événement qui déclenche notre émotion est en effet *contraire* à nos attentes, nos espoirs, nos croyances ou nos exigences. Je suis triste, je suis en colère, je suis dégoûté, parce que la vie ne correspond pas à ce que je voudrais, à ce que j'avais prévu, à ce que j'espérais. Ken Keyes Jr. enseignait déjà voici plus de trente ans dans son *Manuel pour une conscience supérieure* [1] à remplacer nos *exigences* dans la vie — je veux qu'il fasse beau, je ne supporte pas que ma voiture tombe en panne, je ne veux pas que mon patron me parle sur ce ton — par des préférences :

— j'aimerais mieux qu'il fasse beau… mais s'il pleut, ça ira ;
— je préférerais que ma voiture ne tombe pas en panne… mais si j'ai une panne, je compose avec ;
— je préférerais que mon patron me parle sur un autre ton… mais s'il s'adresse à moi comme ça, je fais en sorte de m'en accommoder.

La préférence est le moyen terme idéal entre l'exigence, qui nous pourrit la vie, et la résignation, qui ne vaut guère mieux. Remplacer ses exigences par des préférences, c'est reconnaître que la vie est un mélange de contraintes et de

---

1. *Manuel pour une conscience supérieure*, Ken Keyes Jr., éditions du Gondor, 2004.

libre arbitre, et s'efforcer de faire le meilleur usage à la fois de cette liberté et de ces obligations, contretemps et autres servitudes.

Nos petites contrariétés quotidiennes sont à l'origine de toutes ces bouffées d'émotions qui nous font perdre calme et contenance, fût-ce brièvement. Apprendre à « gérer » les étincelles et grésillements qu'elles provoquent dans nos pensées et nos sentiments nous permet de transformer notre quotidien en une école permanente de perfectionnement intérieur. Au lieu de redouter ces contrariétés — qui ne cesseront de se présenter, sauf à arrêter d'avoir la moindre attente, le moindre désir, le moindre projet —, il devient possible de les apprécier, d'y voir autant d'occasions d'acquérir une plus grande maîtrise de nos états intérieurs.

À défaut de conscience et d'entraînement, la plupart des situations déplaisantes ont en effet tendance à provoquer en nous des réactions stéréotypées : certains d'entre nous se mettent systématiquement en colère, d'autres se replient sur eux-mêmes, d'autres encore se sentent victimes, s'attristent, boudent… Les contrariétés minimes de la vie quotidienne nous donnent l'occasion de découvrir un espace de liberté que nous ignorons souvent : celui-ci se trouve en effet *entre* l'événement extérieur et la réaction que nous lui opposons. Nous ne sommes pas des machines qui produisent automatiquement la même réaction quand on nous appuie sur le même « bouton », même si nos réflexes conditionnés peuvent parfois nous donner cette impression trompeuse. Nous disposons en réalité d'une immense liberté – trop souvent inexploitée – dans la *manière* dont nous interprétons ce qui nous arrive, et dans le sens que nous pouvons choisir de donner aux événements.

Il est beaucoup plus facile de découvrir et d'exploiter cette liberté dans des situations relativement anodines que face à des événements dramatiques. La conduite en ville, par exemple, est un terrain d'entraînement idéal : c'est l'activité type où le comportement des autres conducteurs a tendance à nous contrarier et à nous énerver, à nous placer dans un état « électrique » et à nous faire littéralement crépiter d'étincelles. Observez les intentions que vous prêtez spontanément aux conducteurs qui vous importunent, reconnaissez ensuite que ce sont les *vôtres* (puisque vous les leur *prêtez* !), puis faites l'effort d'en imaginer une autre, aussi différente que possible… et, enfin, faites attention à la façon dont votre état intérieur et émotionnel change aussitôt que vous donnez un sens différent à la même situation. En vous entraînant dans des situations aussi banales et récurrentes que celles-là, vous allez progressivement vous approprier cet espace de liberté insoupçonné dont nous disposons tous qui, sans vous donner le pouvoir de modifier à volonté toutes les circonstances extérieures (nous resterons toujours limités, à ce niveau-là, sauf à être tout-puissant), vous donne au moins celui d'améliorer votre état intérieur dans les mêmes circonstances.

Les petites étincelles du quotidien nous aident à identifier quels sont les critères d'après lesquels nous faisons *automatiquement* telle ou telle interprétation de ce qui nous arrive, laquelle détermine à son tour la façon dont nous y réagissons. Par exemple, si je pense que tous les autres conducteurs sont des abrutis ou des chauffards, le moindre « écart de conduite » de leur part me fera sortir de mes gonds. Prendre conscience de mon a priori négatif vis-à-vis des autres automobilistes est donc la première étape. Une fois ces critères identifiés, nous pouvons les modifier. Pour revenir à mon exemple, un peu de réflexion peut me faire prendre conscience qu'il n'y a pas que des chauffards sur les routes, que même un bon conducteur peut avoir un moment d'absence, que sa femme est peut-être sur le point d'accoucher dans la voiture, que j'ai moi aussi parfois une conduite douteuse… et que je peux donc laisser le bénéfice du doute à l'automobiliste qui m'importune, ne pas *exiger* une conduite parfaite de tout le monde, et prendre avec plus de distance, d'humour et de philosophie les immanquables contrariétés qui ponctuent mes trajets. En agissant ainsi dans chaque situation, nous pouvons nous forger progressivement une vision des choses plutôt que de continuer à subir et à perpétuer indéfiniment celle qui s'est élaborée à notre insu dans l'enfance et n'a guère changé depuis.

Si, à chaque contrariété, à chaque frustration, à chaque contretemps, nous nous livrons à ce petit exercice intérieur d'identification et de transformation de ce qui se passe en nous, pour passer progressivement de la *réaction* automatique à *l'action* choisie, cette nouvelle vision des choses, cette nouvelle façon d'interpréter les situations et d'y répondre finira par devenir la norme, une seconde nature. Et le jour où surviendront des événements beaucoup plus violents sur l'échelle de la contrariété, nous disposerons de toute la force, la conscience et la richesse intérieures accumulées au fil des jours, à travers mille situations anodines. Nul ne peut totalement maîtriser le cours de sa vie – contrairement à ce que voudraient nous faire croire certains livres et ateliers de développement personnel –, mais chacun peut apprendre à avoir une plus grande emprise sur ce qui se passe en lui, en réponse à ce qui lui arrive.

Dans un autre registre, la métaphore de l'étincelle et de la foudre peut aussi nous aider à comprendre que les comportements d'autrui qui nous choquent, que nous dénonçons et critiquons, parce que l'échelle à laquelle ils se produisent leur donne une grande visibilité et un fort impact, ne sont parfois que la version très amplifiée d'attitudes que nous tolérons tout à fait en nous-mêmes. C'est le principe de la paille et la poutre dont parlait Jésus, mais qui sous cette forme souligne plus encore la parenté étroite entre les actes concernés.

Les défauts et les torts que nous trouvons aux « grands » – grandes puissances, grands de ce monde, gros bonnets, grandes industries, multinationales, etc. – sont souvent le miroir grossissant de nos petites mesquineries, de nos petits arrangements et travers quotidiens, ou de ceux pour lesquels nous cultivons une certaine indulgence chez nos proches et amis. En nous focalisant sur la *taille* des méfaits commis à l'échelle d'une entreprise, d'un pays ou de la planète, nous négligeons le fait qu'ils sont de même *nature* que ce que nous nous autorisons à notre niveau, ou que ce que nous tolérons au plan local, dans une petite association, une petite entreprise.

Éthiquement parlant, cependant, c'est la *nature* d'un acte, sa qualité – bonne ou mauvaise – qui compte avant tout, comme le suggère le dicton «qui vole un œuf, vole un bœuf». Sans armes, un homme mal intentionné se limitera à user de ses poings ou à insulter autrui ; muni d'un couteau, il peut blesser ou tuer quelques personnes ; avec une mitraillette, il peut en toucher des dizaines ; avec une bombe, des centaines. Si *l'ampleur* de son action change d'un cas à l'autre, la *nature* de son intention et de son geste reste la même à chaque fois.

Qui nous dit, donc, que placés dans la même situation que tel dirigeant, tel ministre, ou tel PDG, nos petits défauts – relativement inoffensifs, jusqu'ici, vu le terrain limité où ils s'exercent – ne vont pas soudain jouer les Gullivers et avoir une portée aussi grande que celle qui nous scandalise chez ceux qui occupent actuellement ces fonctions ? Le proverbe qui suggère de «tuer le serpent dans l'œuf» découle précisément de ce constat : il m'est plus facile de travailler sur une tare, un défaut, quand je les vois se manifester à petite échelle dans ma vie, plutôt que le jour où mon champ d'action et mes responsabilités se seront démultipliés.

Comme toujours avec les métaphores, celle-ci est aussi pertinente dans l'autre sens : les dons en faveur d'œuvres caritatives, par exemple, des personnalités fortunées à coup de millions de dollars salués par les médias, ne sont pas de nature différente de ceux que l'on fait discrètement à la hauteur de ses propres moyens, fussent-ils très modestes. Les mêmes qualités qui se révèlent en nous à petite échelle peuvent demain, si la situation le permet, avoir elles aussi un impact démultiplié d'autant. Il est donc sain de distinguer, là encore, la nature et l'intensité d'un acte, c'est-à-dire la qualité qu'il traduit et en quelle quantité, pour ne pas tout mêler en une même appréciation indistincte et donc injuste.

« L'étincelle et l'éclair » souligne aussi que c'est souvent dans les *détails* apparemment les plus anodins que se révèlent les meilleures qualités comme les plus graves défauts, pour peu qu'on y prête attention. En politique, par exemple, où des professionnels entraînent les candidats aux élections à faire très attention à leurs gestes et à leurs propos, et même écrivent leurs discours, c'est parfois un regard, un mot ou un geste non calculé, ou encore une réaction spontanée qui peuvent trahir ou révéler le fond authentique de la personne, pour le meilleur ou pour le pire. Les déceptions et les désillusions qui succèdent souvent aux élections sont étrangères à celles et ceux qui, derrière les grands discours et les effets de manche, prennent soin d'observer attentivement ces détails de comportement. C'est sans doute la raison pour laquelle Nietzsche, de son propre aveu, s'intéressait surtout à ce qu'il y a de *non intentionnel* chez les gens, c'est-à-dire ce qui révèle ce qu'ils sont fondamentalement.

De manière analogue, les crises orageuses dans notre couple sont la version macroscopique des petits grésillements et des minuscules étincelles que nous avions remarqués dans les premiers temps, fût-ce subconsciemment, même au plus intense de la phase amoureuse, qu'on dit pourtant aveugle. Au lieu d'attendre ces orages, nous gagnerions à ne pas sous-estimer ces étincelles (sans les dramatiser non plus) et à y voir d'excellentes occasions de traiter nos différends et nos conflits potentiels, lorsqu'ils ont encore à la fois une échelle insignifiante et une portée restreinte.

Une relation est comme un jardin qui demande des soins quotidiens, et dont il est beaucoup plus facile d'ôter des mauvaises herbes quand elles sont encore toutes petites et aux racines fragiles, que lorsque leur hauteur et leur solidité exigent le recours à des outils puissants.

Un chaman amérindien du Canada recommande ainsi, dès le début d'une relation amoureuse ou d'un partenariat professionnel, de poser sur la table les éléments qui pourraient nous conduire à *ne pas y donner suite*. Qu'est-ce que je redoute dans notre relation ? Quels sont les traits que je devine aujourd'hui et qui, demain, pourraient nuire à notre entreprise commune ?

En les mettant à plat le plus tôt possible dans un climat de respect, d'amour et de confiance, comme un cadeau que l'on fait à la relation qui s'engage, afin de la préserver de ravages ultérieurs, il est ensuite beaucoup plus facile d'affronter les difficultés qui se présentent un jour, de pouvoir faire référence à ce premier échange au terme duquel – idéalement – les deux parties conviennent de prêter attention aux points délicats soulevés et de s'aider mutuellement à ne pas se laisser piéger par leurs travers respectifs. En réalité, il s'agit moins de chercher à prévenir ou à éviter toute forme de tension ou de conflit (une telle stratégie engendre ses propres effets pervers), qu'à se donner les moyens de les affronter le mieux possible et d'en tirer le meilleur parti.

De même, en matière d'éducation, il est plus facile de s'occuper des petits travers de nos enfants quand ils sont justement petits, plutôt que d'en sourire, de les trouver attachants ou de les excuser, précisément parce qu'ils semblent avoir si peu d'importance et d'impact à ce niveau et à cet âge-là. Les enfants sont d'une malléabilité extraordinaire, d'où la possibilité de leur faire acquérir très tôt des plis qui leur rendront service toute leur vie. Le laxisme devant les étincelles enfantines fait le lit des orages adolescents ou adultes, qui deviennent parfaitement incontrôlables. On peut d'ailleurs se demander si ce n'est pas la perte des anciens repères moraux qui explique l'incapacité si fréquente aujourd'hui à mesurer la gravité d'un acte non à son ampleur, mais à sa nature, et à y répondre d'une manière adaptée. L'adage de l'œuf et du bœuf cité ci-dessus n'a plus guère de pertinence pour beaucoup de ceux qui croient faire preuve de tolérance – une notion bien mal comprise, qui peut simplement masquer du je-m'en-foutisme – en « passant l'éponge » sur les gestes mal intentionnés de leurs enfants et en en minimisant l'importance, faute d'y voir les germes potentiels d'actions ultérieures préjudiciables.

Il en va de même dans le monde de l'entreprise : dès un entretien d'embauche, ou dès une première réunion en vue d'un partenariat entre individus, nos capteurs détectent fréquemment un certain nombre d'étincelles et de grésillements qui peuvent laisser présager d'orages futurs. Malheureusement, le plus souvent nous n'en faisons rien, nous bornant – quand nous en avons conscience – à espérer que les défauts et travers entrevus ne s'exprimeront pas dans la relation. Là encore, comme nous l'avons vu pour le cadre du couple, nous gagnerions au contraire à les exposer, à en parler dès le début, avant tout engagement, de manière à les désamorcer d'entrée, ou à rendre plus facile le fait d'en reparler plus tard.

L'écologie nous offre une autre illustration intéressante du principe de l'étincelle et de l'éclair. Nous trouvons choquant un énorme tanker qui dégaze au milieu de l'océan en laissant une longue traînée noire derrière lui, mais cet acte ne diffère pas fondamentalement de celui qui vide le cendrier de sa voiture par la fenêtre ou qui laisse ses déchets derrière lui en pleine campagne après un pique-nique. Nous ne sommes donc crédibles, dans nos indignations, nos pétitions et nos revendications, que si nous sommes, à notre propre échelle, cohérents avec ce que nous appelons de nos vœux à l'échelle collective et planétaire. Va-t-on prendre au sérieux les appels à sauver la forêt amazonienne, qualifiée de « poumon de la planète », émis par un homme avec une cigarette à la main ? « L'étincelle et l'éclair » nous parle donc aussi de *cohérence*, c'est-à-dire de la nécessité de cultiver un même état d'esprit, un même comportement, quel que soit le niveau d'action concerné. « Les petits ruisseaux font les grandes rivières », dit le proverbe qui, ici, deviendrait « les petites étincelles font les gros éclairs »… et les petites négligences, les gros dégâts.

Une amie me montrait récemment les dizaines de sortes de graines qu'elle avait achetées pour faire son potager. J'étais épaté de constater sa capacité à identifier à l'œil nu à quel légume, quelle cucurbitacée ou quelle fleur correspondait chacune des semences qui s'étalaient sur sa table de jardin. Pour ma part, je n'en connaissais que quelques-unes… étant davantage porté à ensemencer les esprits avec ces graines d'un autre genre que sont les symboles, métaphores et allégories ! Savoir reconnaître dans ce qui est encore tout petit – une étincelle, une semence, un détail – tout le potentiel qui y sommeille, afin de ne pas être surpris plus tard quand il se manifestera dans toute sa puissance, c'est aussi à cela que nous invite cette métaphore. S'il avait eu ce savoir, Ouin-Ouin – équivalent suisse de Toto, pour les blagues – n'aurait pas connu la mésaventure suivante, que l'on racontait beaucoup à l'époque où la Suisse avait la réputation d'abriter des fabriques d'armement cachées.

Sur le chemin du travail, Ouin-Ouin croise M. Miliquet qui s'étonne de le voir à pied. « Pourquoi ne vas-tu pas au travail en vélo ? » lui demande-t-il. « Parce que je n'ai pas les moyens de m'en acheter un, avec ce qu'on me paie », répond Ouin-Ouin. « C'est un comble, alors que tu travailles dans une usine qui en fabrique ! rétorque M. Miliquet. Si j'étais toi, je volerais une pièce par jour, discrètement, et en un mois ou deux, je me ferais un vélo et personne n'y verrait rien… » Ouin-Ouin, s'estimant effectivement lésé, décide de tenter le coup. Quelques mois plus tard, M. Miliquet le croise à nouveau, toujours à pied : « Alors, tu n'as pas fait ce que je t'ai suggéré ? » s'étonne-t-il. « Mais si ! réplique vivement Ouin-Ouin,… mais ça donne chaque fois une mitrailleuse ! ! ! »

9

Comment le soleil
sculpte les rochers :
les phases de la matérialisation

Observez les rochers au bord de la mer, dont des millions d'années se sont chargés de creuser les formes et d'arrondir les angles. Qui est responsable de ce patient labeur ? « L'eau ! » direz-vous sans doute. Oui… d'une certaine manière. Mais l'eau en elle-même est inerte, immobile. Qui lui donne la force de s'élancer contre ces rochers ? Le vent, bien sûr. C'est le vent qui soulève les vagues qui, plus encore que les seules marées, viennent frapper sans relâche les côtes et modeler les pierres bordant les étendues d'eau. Mais l'air lui aussi serait statique, si la surface de la Terre était uniformément glaciale. Et qui lui imprime son mouvement ? Le soleil, évidemment, source de la lumière et de la chaleur dont dépendent toute vie, toute activité, tout mouvement sur notre planète. Donc, en réalité, si l'on prend la peine de remonter jusqu'à la cause première, c'est le soleil qui, par ces intermédiaires que sont l'air et l'eau, imprime sa marque aux rochers !

L'action du soleil sur la roche – la partie la plus matérielle de la Terre –, est encore une jolie métaphore de processus à l'œuvre dans l'existence humaine (mais existe-t-il seulement des phénomènes naturels totalement dissociables de notre vécu d'être humain, qui ne soient d'une façon ou d'une autre les reflets de ce qui se passe en nous... ?).

Regardez autour de vous tous les objets, toutes les créations dus à l'être humain, des plus prosaïques (panneaux indicateurs, bouche d'égout, ustensiles quotidiens) aux plus extraordinaires (monuments, peintures, sculptures, gadgets hyper sophistiqués).

Qu'a-t-il fallu pour que la moindre de ces choses existe ? Que quelqu'un ait envie de la réaliser : sans *envie*, sans désir, sans l'intervention du sentiment – c'est-à-dire l'eau, en symbolique –, rien ne se fait. Le cœur est le moteur de nos actes, c'est lui qui a l'impact le plus direct sur nos décisions et même sur notre corps, de même que c'est l'eau qui exerce l'influence la plus immédiate sur la matière, la roche. Voici deux illustrations de cette proximité entre l'eau et la matière, entre le sentiment et le physique :

– Si j'observe votre visage, je peux deviner les émotions qui vous animent (joie, colère, peur, dégoût...), car elles impriment immédiatement une marque spécifique et reconnaissable sur vos traits. Vos expressions trahissent à chaque instant vos sentiments. Par contre, il m'est pratiquement impossible de savoir quelles sont vos pensées, beaucoup plus aériennes, qui, elles, ne se reflètent pas directement sur vous.

— Même si je connais intellectuellement toutes les bonnes raisons de ne pas fumer, mais que je ne parviens pas à stimuler en moi l'*envie* d'arrêter, c'est mon désir de cigarette qui prendra le dessus sur mes connaissances et qui déterminera donc mon comportement. Seul, privé du secours du sentiment et du désir, le mental peine à agir sur le corps… ou alors à la manière de ces tempêtes ou cyclones violents qui, soudain, arrachent les arbres et brisent tout sur leur passage, c'est-à-dire d'une façon qui impose de force nos décisions à notre organisme, malgré un cœur récalcitrant. Attention les dégâts ! Le décalage fréquent — autant chez nous que chez les autres — entre les idées et les actes tient souvent à une courroie de transmission déficiente entre le mental et le cœur, entre nos pensées et nos sentiments, de sorte qu'à défaut de décisions conscientes, nos désirs suivent plutôt les courants sous-marins de notre inconscient.

L'envie seule ne suffit donc pas. Ce qui stimule consciemment l'envie, l'éveille, c'est la pensée. Le mental fournit l'impulsion nécessaire à mettre le désir en mouvement : je pense à quelque chose, une idée me vient, et je sens alors naître en moi l'envie de la concrétiser. La pensée et l'envie, la tête et le cœur, sont symboliquement parlant le père et la mère de nos actes. De même que le vent sans eau ou l'eau sans vent sont incapables d'agir sur la roche, la pensée sans le sentiment ou le sentiment sans la pensée restent eux aussi stériles : avoir une idée sans l'envie de la réaliser ou avoir envie de quelque chose, mais sans trop savoir quoi, ça n'a jamais produit grand-chose ! Dit d'une autre façon, toutes les productions de l'être humain qui nous entourent, purement fonctionnelles ou hautement inspirées, sont des concrétisations, des condensations de ces énergies plus subtiles que sont nos sentiments fluides et nos pensées volatiles. Pas un objet, pas une création humaine qui n'aient tout d'abord été pensés, conçus, réfléchis, puis désirés, souhaités, avant d'être concrétisés : cela s'applique aussi bien à de l'immatériel comme un programme informatique, qu'à une œuvre musicale ou cinématographique, ou à tous les objets de notre environnement quotidien.

Mais notre métaphore ne s'arrête pas au vent : elle remonte jusqu'au soleil, l'astre distant et lointain dont dépend tout ce qui se produit à la surface du globe. Autrement dit, les trois premiers facteurs de cette métaphore sont purement terrestres – la roche, l'eau et le vent –, tandis que le quatrième est solaire, cosmique, beaucoup plus éloigné. De manière analogue, nous sommes également constitués de trois composantes «terrestres», incarnées : le corps (qui nous permet de concrétiser nos idées et nos envies), le cœur et son univers de sentiments, désirs, émotions et envies, et enfin la tête avec les pensées, les projets, les intérêts et les idées. À ces trois dimensions de notre être s'y ajoute une quatrième que l'on peut qualifier de solaire, symboliquement parlant : notre âme, notre dimension spirituelle et énergétique. Exclue du réel par les erreurs de jeunesse de la science qui commence timidement à l'en sortir, l'influence de l'âme est aujourd'hui un peu plus reconnue. C'est le soleil qui chauffe l'air et l'eau, c'est lui qui provoque l'évaporation de l'eau qui forme les nuages, lui qui est à l'origine des vents qui soufflent sur le globe, lui qui, en dernière analyse, est l'acteur premier du climat et des phénomènes qu'il induit à la surface de la Terre.

De même, c'est cette dimension énergétique subtile qu'on nomme âme ou esprit qui assure le fonctionnement de notre pensée, de notre cœur et de notre corps. Lorsque des individus vivent une EMI, ils racontent ensuite ce qu'ils ont vécu alors que leur corps était cliniquement mort : quelque chose – disons l'âme pour simplifier – est sorti de leur enveloppe physique et a continué de voir, d'entendre et de pouvoir se déplacer. La justesse de perception de l'âme ainsi désincarnée a pu être maintes fois confirmée par la suite, après que l'équipe médicale est parvenue à les arracher à la mort et à les réanimer. Dans les cas les plus indiscutables, des détails visuels extrêmement précis de la salle d'opération, des équipements médicaux et de leurs mesures ont pu être décrits en détail par… des aveugles de naissance (!), dont la cécité se limitait en effet à leur corps physique et non à l'âme qui l'habite. En l'absence de l'âme, en revanche, l'intellect ne pense plus, le cœur ne ressent plus rien, le corps ne bouge plus : l'individu est au mieux dans le sommeil ou le coma, au pire… mort.
Autrement dit, au-dessus de nos pensées et de nos désirs,

conscients et inconscients, figure une autre dimension plus subtile – notre soleil individuel symbolique –, avec ses propres desseins, qui œuvre à travers notre tête, notre cœur et notre corps. De même que le soleil et les variations de son influence, à chaque phase de l'ellipse que la Terre décrit autour de lui, déterminent en très large mesure les conditions de vie sur la planète, auxquelles nous nous adaptons et que nous utilisons, notre astre intérieur (notre esprit) – comme l'affirment de nombreuses sources spirituelles – influence profondément les circonstances de notre vie (et même de notre naissance, disent notamment les bouddhistes), les événements qui y surviennent et les rencontres que nous faisons, c'est-à-dire le cadre dans lequel nous exerçons la part de notre libre arbitre. Savoir cela nous permet de chercher à connaître la finalité que poursuit cette dimension spirituelle de notre être, de manière à la fois à mieux comprendre les situations qu'il nous est donné de vivre (notamment celles contraires à nos attentes), à pouvoir associer nos efforts conscients à l'accomplissement de notre mission de vie, et par conséquent à ne pas ramer à contre-courant, à ne pas lutter inutilement contre des choses inéluctables. Celui qui connaît les saisons et le climat sait quand retourner la terre, quand semer, quand récolter, et il travaille en harmonie avec les cycles dans lesquels s'inscrit sa propre existence. Celui qui consulte la météo avant de prendre la mer pour une longue traversée sait quelle voilure mettre, quel cap prendre et comment tirer le meilleur parti des conditions qu'il va devoir affronter. De même, celui qui connaît sa « météo intérieure » et les saisons de son âme peut utiliser toutes les circonstances y compris les plus « négatives » en apparence.

Il existe pour cela un outil que je qualifie souvent de « météo stellaire » : l'astrologie, dans ce qu'elle peut à la fois nous révéler des vents stellaires qui soufflent sur notre vie à tel ou tel moment, et aussi nous apprendre notre destinée. Je ne défendrai pas ici la valeur et la pertinence de cet outil, quand il est pratiqué avec rigueur[1], d'autres l'ont déjà fait : il est aussi dommage de se priver des éclairages édifiants de cette discipline que de ne pas tenir compte de la vraie météorologie, sous prétexte qu'il lui arrive de se tromper Celles et ceux qui souhaiteraient connaître leur chemin de vie, consciemment ou non, et les influences qui s'exerceront sur eux à telle ou telle période de leur existence, trouveront certainement des réponses précieuses chez quelqu'un de dûment formé à l'astrologie véritable à côté de laquelle l'horoscope des magazines féminins n'est qu'un… *désastre* !

S'agissant de ce parallèle entre la gradation qui va du soleil au rocher, et celle qui sépare notre esprit du corps physique, l'amoureux de symbolique ne peut manquer d'observer

---

1. Je recommande en particulier les travaux de Liz Greene, qui est aussi analyste jungienne, dont les nombreux livres et les études astrologiques sont d'une qualité exceptionnelle, ainsi que le livre *Cosmos and Psyche*, de l'érudit Richard Tarnas, malheureusement encore non traduit en français, dont la profondeur d'analyse et la portée expliquent les dix années qu'il a mis à l'écrire.

un certain parallèle entre la façon dont l'être humain, au cours de sa longue histoire, a d'abord développé le monde du sentiment, du cœur, de la religion (adoration, crainte, etc.), tout en conquérant progressivement les océans et les mers du globe. Ensuite est venu le plein essor de la raison, du mental et de la science, enfin libérés du joug de la foi, qui s'est accompagné de la conquête de l'air : l'aviation, puis les vols dans l'espace. Et aujourd'hui où un éveil spirituel touche des populations toujours plus importantes, où l'on voit apparaître de plus en plus d'enfants ayant depuis tout petits des facultés que l'on qualifie faute de mieux de « surnaturelles » ou de « paranormales »[1] , on observe conjointement le développement de l'énergie solaire et de l'énergie nucléaire. Comme si notre développement intérieur, à l'échelle humaine, trouvait toujours un reflet et une équivalence dans nos réalisations extérieures et technologiques... ce qui n'a en soi rien de surprenant pour qui observe l'unité du monde, les principes de correspondance et les analogies que l'on retrouve dans tous les domaines. Le fameux adage hermétique « ce qui est en bas est comme ce qui est en haut » se double ainsi d'un « ce qui est dehors est comme ce qui est dedans » qui vaut autant pour le phénomène de la projection, bien connu des psychologues (on projette sur l'autre les défauts et qualités qu'on porte en soi), pour la Loi de l'attraction très en vogue actuellement dans le milieu du développement personnel

---

1. La langue anglaise comprend le terme *psychic*, plus adapté, qui en fait des composantes intrinsèques de la psyché humaine.

(on attire extérieurement ce qui nous correspond inté-
rieurement), que pour le développement de la science et
de la technologie de pointe, qui sert à l'homme de miroir
où se reflète sa propre évolution intérieure.

La métaphore des rochers sculptés par le soleil illustre les
étapes successives de condensation qui aboutissent à ce
qu'il y a de plus dense, de plus concret et incarné, que l'on
a parfois tendance à oublier ou à négliger. Les deux composantes les plus négligées de ce processus d'incarnation,
de condensation progressive jusqu'au plan matériel, sont
le cœur et l'esprit. Le mental, lui, a connu un développement phénoménal, auquel celui de l'ordinateur a d'ailleurs
beaucoup contribué depuis trente ans.
Les programmes scolaires visent essentiellement à développer les facultés intellectuelles, n'accordant qu'une
toute petite place au corps, avec quelques rares heures
d'éducation physique, et aucune au cœur, en négligeant
totalement l'éducation émotionnelle et relationnelle,
pourtant indispensable à qui souhaite connaître un jour
une vie équilibrée, heureuse et épanouissante. L'efficacité très relative de nombre de méthodes pédagogiques
actuelles (l'apprentissage des langues en est la plus triste
illustration) tient en grande partie à cette difficulté à
prendre en compte et à mettre à contribution les facultés
affectives et émotionnelles des élèves, à leur donner *envie*
d'apprendre, à faire participer non seulement leur tête,
mais aussi leur cœur au processus d'apprentissage. On
n'apprend pas *par cœur* sans faire intervenir le cœur : on

n'apprend que *de tête*, de sorte qu'on oublie tout dès le lendemain du contrôle.

Je me souviens avoir joué dans une pièce de théâtre dans le lycée américain où j'ai passé un an : par définition, faire du théâtre, c'est impliquer ses émotions et son corps dans le texte que l'on apprend vraiment par cœur. Résultat : trente ans plus tard, j'ai encore certaines de mes répliques en mémoire ! Et de tous les cours que j'ai pu suivre, de tous les professeurs que j'ai pu avoir, ceux dont il me reste un souvenir aujourd'hui sont précisément ceux qui, au-delà de mes seules méninges, ont su venir toucher mon désir d'apprendre, ont été capables d'éveiller l'enthousiasme, la passion de leurs élèves (comme le décrit remarquablement Daniel Pennac dans *Chagrin d'école*[1], par exemple). En se focalisant sur le seul développement de ses facultés intellectuelles, l'École peut faire de l'enfant un atrophié du cœur, un analphabète relationnel, sauf s'il a la chance d'avoir des parents ou un entourage capables de combler cette sérieuse lacune de son éducation. Seul, le vent dessèche la terre. L'intellectualisme pur dessèche lui aussi les relations humaines, si le cœur ne vient les abreuver de l'eau des sentiments. Le développement de l'intelligence émotionnelle et relationnelle est devenu aujourd'hui incontournable, comme le prouve *a contrario* l'accroissement de la violence qui affecte l'école aujourd'hui. De même, certaines difficultés que rencontrent des esprits

1. *Chagrin d'école*, D. Pennac, Gallimard, 2007.

intellectuellement brillants dans le monde de l'entreprise ou en politique tiennent en partie à leurs déficiences émotionnelles et relationnelles qui les privent de la nécessaire courroie de transmission qui permettrait à leurs idées et à leurs projets de se concrétiser comme ils le conçoivent.

Deuxième facteur négligé, dans ces étapes de condensation qui vont du soleil aux rochers, ou du spirituel au matériel : l'esprit. Nous avons visiblement jeté le bébé de l'esprit avec le bain des religions (dont l'eau, il est vrai, avait bien besoin d'être changée). Si, depuis Copernic et Galilée, le soleil a repris sa juste place dans le ciel, nous n'avons pas encore fait cet ajustement dans tous les domaines où il s'imposait également. La vision du monde qui prédomine encore aujourd'hui fait tout graviter autour de ce qui est physique, tangible, chimique. La conscience, l'esprit ne seraient que des productions biochimiques du cerveau et n'existeraient qu'en rapport avec le corps. Les extases mystiques et l'illumination des sages et des saints ont très sérieusement fait l'objet d'une classification psychopathologique de la part de psychiatres qui ont établi des parallèles entre ces états et la schizophrénie, l'épilepsie, et j'en passe. La dimension spirituelle ne serait au fond qu'un épiphénomène, une illusion dont les lumières de la science ont su venir à bout, comme ellesnous ont effectivement jadis libérés de superstitions et de peurs enracinées dans l'ignorance et la crédulité.

En réalité, si les éclairages intellectuels sont les bienvenus pour combattre l'obscurantisme, ils ont aussi leurs limites. Toute obscurité n'est pas négative, ni toute lumière souhaitable. Les graines ont besoin d'obscurité pour germer. L'enfant passe neuf mois dans le noir avant de naître. Il y a des choses que la lumière tue, d'autres que l'obscurité nourrit. S'il met en lumière certains phénomènes, le mental peut aussi stériliser ou tuer ce qu'il soumet à ses éclairages froids et désséchants. L'alternance du jour et de la nuit, du soleil et du ciel constellé que parcourt la lune est nécessaire au développement de la vie. Et, de même que les étoiles n'apparaissent qu'une fois le soleil couché, des lumières plus subtiles ne se révèlent qu'à la faveur du repos du mental (grâce à la méditation, la prière ou la contemplation, par exemple) et nous apportent une connaissance plus mystérieuse.

Là encore, d'ailleurs, on peut établir un parallèle intéressant entre l'extérieur et l'intérieur : l'éclairage artificiel permanent auquel est soumis le monde moderne nous donne très rarement l'occasion de contempler le ciel nocturne, de laisser la nuit tomber sans subir l'éclairage public ou allumer soi-même des lampes, de sorte que nous passons généralement d'un seul coup dans le noir complet, au moment du coucher. De même le mental humain *réfléchit* et fonctionne en permanence, y compris dans de nombreux loisirs, laissant de moins en moins d'espace et d'occasions au cœur de se manifester pleinement. Soumis aux éclairages omniprésents de l'intellect, nous finissons par en oublier la lune et les étoiles de l'affect et de l'imagination. À refuser encore à l'esprit la position et la fonction qui sont les siennes, la culture occidentale moderne passe souvent à côté de tout ce qu'ont déjà pu apprendre à son sujet diverses civilisations qui nous ont précédés et d'autres traditions encore vivantes aujourd'hui. Pire, privés de la possibilité d'inclure cette composante spirituelle, subtile, dans leurs hypothèses (à quelques exceptions notoires comme Ervin Laszlo, Fritjof Capra, Karl Pribram, Amit Goswami, Stanislav Grof, Rupert Sheldrake, et d'autres), nombre de nos scientifiques contemporains ressemblent aux astronomes d'avant Galilée, contraints de proposer des explications acrobatiques au mouvement apparent des planètes, par les explications alambiquées de certains phénomènes qu'ils se voient obligés d'élaborer aujourd'hui pour rester dans le cadre matérialiste rigide – en particulier dans tout ce qui touche au « paranormal ».

À la naissance, un bébé est capable d'esquisser certaines aptitudes qu'il développera beaucoup plus tard : si on le tient debout, par exemple, il est en mesure d'ébaucher un mouvement de marche. Au cours de la première visite avec le pédiatre, d'ailleurs, celui-ci soumet le nouveau-né à quelques tests pour vérifier que tout fonctionne bien. Puis, au cours de ses premiers mois de vie, le bébé va laisser certaines de ses facultés totalement de côté pour se concentrer exclusivement sur d'autres, afin de les maîtriser une par une, séquentiellement : ramper, s'asseoir, marcher, parler... Il se pourrait que, dans son évolution collective sur des millénaires, l'humanité fonctionne de la même façon, et qu'elle ait besoin par moment d'occulter complètement certaines de ses facultés, pour mieux en développer d'autres. Ainsi, peut-être était-il nécessaire d'écarter un temps tout ce qui relevait du spirituel et du religieux pour permettre aux fonctions intellectuelles de se libérer du joug religieux et de pleinement s'émanciper ? Mais, aujourd'hui, le temps de cette opposition entre le mental d'un côté et le cœur et l'esprit de l'autre n'a plus de raison d'être[1].

La métaphore du soleil et des rochers nous rappelle que le matériel trouve son origine dans le feu solaire, notre planète ayant elle-même commencé par être une boule de feu avant de se refroidir assez pour que les premières formes de vie y apparaissent. Si nous voulons avoir l'influence la plus déterminante possible sur la matière, il nous faut donc pouvoir remonter jusqu'au niveau *igné*, spirituel.

L'être humain s'est longtemps contenté d'agir directement au niveau concret, en apprenant à maîtriser les matériaux pour réaliser des objets et pour développer son propre corps en force, en musculature et en souplesse. Puis on a découvert le rôle considérable de la psyché. Dans le sport, dans les arts, dans l'entreprise, dans le développement personnel, ce recours aux énergies aquatiques et

---

1. À ce sujet, lire *Nouvelles Perspectives en psychiatrie, psychologie et psychothérapie : aux confins de la recherche contemporaine sur la conscience*, Dr S. Grof, éditions Alphée, 2010.

aériennes du cœur et du mental ont connu un essor phénoménal, avec résultats probants à l'appui.

Désormais, le spirituel fait l'objet d'une attention croissante : comment produire une étincelle créative afin de déclencher le processus de matérialisation progressive d'une impulsion aussi subtile que possible. Comment faire un travail intérieur par la méditation ou diverses disciplines spirituelles pour accéder, au-delà du mental, à ce « champ infini de toutes les possibilités », comme le nomme le Dr Deepak Chopra, qui permet aussi de se relier à sa propre dimension spirituelle, à son soleil intérieur et d'y semer des intentions afin qu'elles s'épanouissent et fructifient dans notre existence au moment le plus opportun ? Là où la pensée positive reste un processus volontariste, piloté par l'ego, cette « agriculture spirituelle » est un acte *participatif* qui allie intention délibérée (semer une graine, une intention) et lâcher prise (laisser la terre et les saisons accomplir leur œuvre germinatrice), mû par la conscience que nos actions s'inscrivent dans un contexte qui nous dépasse. Si le spirituel est qualifié de *transpersonnel*, c'est précisément parce qu'il dépasse nos seuls intérêts personnels pour prendre en compte la totalité. Pour faire un clin d'œil à la fois à la métaphore de la capitale et du pays et à celle de la rivière, atteindre le niveau spirituel, solaire, c'est toucher le centre, c'est remonter jusqu'à la source, c'est pouvoir agir sur le point central auquel sont rattachés tous les rayons de la roue, pour que l'action ainsi posée se répercute sur tous les points de la périphérie, toutes les régions du pays.

Le « développement personnel », très en vogue aujourd'hui, est donc nécessaire, mais insuffisant en soi. Oui, il est important de développer nos ressources propres – physiques, affectives et psychiques –, et le milieu du développement personnel met à notre disposition de nombreux outils et méthodes pour nous aider à guérir nos blessures, à nous épanouir et à nous réaliser. Mais un développement « transpersonnel » ou collectif doit accompagner ce travail purement individuel. En remontant jusqu'à notre soleil intérieur, nous atteignons une conscience que nous partageons avec les autres, de sorte que les actions qui en découlent ne servent plus nos seuls intérêts, mais se réalisent en accord et en harmonie avec ceux d'autrui. Développer une conscience spirituelle, ce n'est pas renoncer à sa propre personnalité, à ses objectifs, ses ambitions et ses désirs propres, c'est avant tout relier sa petite « planète » personnelle à un même soleil, afin d'harmoniser nos vies autour d'un même centre, tout en gardant la diversité de nos activités respectives.

Le passage du soleil au rocher, du feu à la matière solide, est donc aussi un processus allant de l'unité, de la fusion cosmique où tout est un, à la personnalisation, l'individualisation. Il est très facile de séparer deux cailloux, deux morceaux de matière. C'est plus difficile avec deux gouttes de liquide, qui peuvent facilement se réunir. C'est encore plus ardu avec l'air, qu'il faut emprisonner dans des récipients différents pour l'empêcher de se fondre aussitôt dans l'atmosphère collective. C'est impossible avec le feu, au sens spirituel du terme, qui imprègne chaque chose, chaque être vivant et tout l'environnement, et ne peut être dissocié de lui-même. De même, si nous sommes distincts par les corps de chair que nous habitons, l'essence qui nous anime est une. Apprendre à faire remonter sa conscience jusqu'au niveau le plus subtil, solaire, transpersonnel, pour s'harmoniser avec le tout, puis à la redescendre dans notre personnalité pour reprendre le cours de notre vie, permet à la fois de garder un lien vivant et dynamique entre toutes les composantes de notre être, de conserver un certain équilibre entre les aspirations universelles de notre esprit et les besoins de notre moi, et d'exercer une influence délibérée sur le centre de notre être.

Conclusion

Depuis quelques années, le numérique a envahi toute la technologie moderne : appareil photo numérique, caméra vidéo numérique, enregistrement numérique sur CD et DVD, etc. Si l'analogique disparaît ainsi de nos gadgets quotidiens, profitons-en pour lui laisser une place de choix en nous, dans notre façon de penser, et dans le regard que nous posons sur le monde. Raisonner par analogies, comme nous l'avons fait dans ces pages, c'est discerner des ressemblances entre des phénomènes apparemment distincts. C'est en extraire la dynamique, le principe qui les anime, puis chercher par résonance dans quelles autres situations on les retrouve. C'est ainsi que naissent les métaphores, que le dictionnaire définit justement comme des « substitutions analogiques ».

Cultiver un esprit analogique et métaphorique est un excellent complément au regard analytique que nous apprenons très tôt à porter sur le monde : là où ce dernier fragmente, morcelle et isole, permettant de mieux appréhender un élément à l'exclusion du reste, la pensée métaphorique crée du lien, tisse des alliances insoupçonnées entre les choses, fait ressortir entre elles une parenté originale, dégage de nouvelles perspectives. L'important n'est pas que ces analogies soient « vraies », mais qu'elles nous parlent, qu'elles stimulent notre imagination, nous enrichissent, nous ouvrent des champs de réflexion encore non explorés.

J'espère donc que les métaphores et allégories développées dans ces pages vous auront donné le goût de ce mode de pensée analogique qui favorise en nous une perception vivante et organique de la nature, de nous-mêmes et de nos interactions avec le monde et les gens qui nous entourent.

Comme l'enfant qui joue aux Lego, assemblant et démontant sans cesse des pièces pour de nouvelles constructions, nous aussi, en alternant l'analogie et l'analyse, en sachant tantôt repérer des ressemblances, tantôt des différences, nous pouvons faire de notre expérience quotidienne un terrain de jeu et d'apprentissage dont nous ne sommes pas près de nous lasser !

Post-scriptum

Le dernier Rideau de fer :
se libérer de l'État totalitaire…
de conscience

Imaginez ou rappelez-vous ce qu'était la vie, autrefois, derrière le Rideau de fer. Les populations du bloc soviétique étaient isolées du reste du monde. La très grande majorité des habitants ignoraient ce qui se passait vraiment ailleurs, n'ayant accès qu'à une information filtrée, tronquée et manipulée.

Cette propagande était si bien orchestrée, la vision du reste du monde était si faussée, voire inversée, que personne n'aspirait particulièrement à s'y rendre… aussi longtemps qu'on ignorait ce qu'était véritablement la vie de ce côté-ci.

Progressivement, des dissidents sont apparus dans les divers pays du bloc soviétique, contestant la propagande officielle, qui savaient ce qui se passait de « l'autre côté », et tentaient – au péril de leur liberté, et souvent de leur vie – d'ouvrir les yeux de leurs semblables, de faire la lumière sur les mensonges du système.

Enfin, le 9 novembre 1989, l'effet cumulé des pressions internes et externes qui s'exerçaient dans les pays communistes de l'Est a entraîné la chute du mur de Berlin, brèche majeure qui s'ouvrit dans le Rideau de fer et en préfigura la disparition et le démantèlement du bloc soviétique.

L'épopée soviétique est une magnifique métaphore de ce qui se joue actuellement à un tout autre niveau, dans la grande aventure de l'humanité. « Le dernier Rideau de fer » que je veux évoquer ici ne se trouve donc pas dans tel ou tel pays soumis à une dictature. Il est en nous, dans notre psychisme plus particulièrement. Et l'*ultime dissidence* à laquelle nous sommes conviés est celle qui nous fait refuser de subir plus longtemps les règles et les lois de cet État totalitaire dont nous sommes, symboliquement parlant, prisonniers : non pas un État politique, géographique, mais un *état de conscience*, celui qui en est venu à prédominer progressivement sur toute la surface du globe.

Car notre conscience, et plus particulièrement l'endroit où elle s'établit en nous, détermine le regard que nous posons sur le monde, les liens que nous tissons avec lui et avec les autres, ainsi que notre façon de vivre. En effet, la conscience est susceptible de se loger dans de nombreux centres différents, en nous : dans le corps, dans le cœur, dans le sexe, l'estomac, la tête, ou encore au-delà...

Mais à notre époque, la conscience réside majoritairement dans l'intellect. Dès lors, c'est à travers le filtre spécifique du mental que nous appréhendons le monde...

L'intellect humain distingue, sépare, trie, classe toutes choses. Le plein développement de ces facultés dites à juste titre *analytiques* est, somme toute, chose relativement récente dans l'histoire, tant le mental a longtemps été sous le joug contraignant de la religion. Autrefois, il fallait *croire*. Chercher à *savoir* était dangereux… sinon diabolique. Penser librement, réfléchir par soi-même, s'affranchir de la tutelle de l'église pouvait conduire au bûcher.

Grâce à l'émancipation des facultés mentales, la science – et sa fille, la technologie – a accompli des progrès spectaculaires qui ont rapidement changé la surface de la terre… au propre et au (dé)figuré. Dans tous les domaines – physique, chimie, biologie, astronomie, médecine, etc. –, les connaissances spécifiques ont permis des avancées considérables et une véritable révolution du savoir. Mais chaque médaille a son revers, et chaque oscillation excessive du balancier entraîne généralement un mouvement inverse tout aussi excessif.

L'essor des facultés intellectuelles a représenté une telle *libération* – comme un ressort longtemps comprimé qui se relâche – que celles-ci ont non seulement acquis une position dominante, mais qu'elles ont relégué loin derrière elles les autres facultés humaines. Non seulement elles en ont totalement étouffé certaines, mais elles tentent de s'opposer aujourd'hui à l'émergence de nouvelles.

Tout notre système éducatif actuel ne vise qu'à développer le mental des élèves de plus en plus tôt. C'est à peine si les tout-petits peuvent profiter quelques années d'un état de conscience encore ouvert au cœur, au corps, aux sens, à l'instinct, à l'imagination et parfois à d'autres facultés plus subtiles. Parvenue à l'autre bout du long tunnel de l'éducation nationale, la grande majorité des élèves a appris à fonctionner presque en permanence dans l'état de conscience mental et sait de moins en moins s'en échapper. L'ordinateur, la télévision, les jeux vidéo, le sudoku, la « lecture-grignotage » (on lit n'importe quoi, n'importe où, pour stimuler les méninges et tuer le temps, comme on stimule ses papilles gustatives avec des sucreries) et nombre d'activités remplissent le moindre temps libre, contribuent à entretenir et à préserver cette étroite bande de fréquences dans laquelle nous fonctionnons et qui correspond au registre mental.

Pour l'individu moyen, les occasions de s'évader de ce « totalitarisme cérébral » sont rares, d'autant que pour vouloir s'échapper, il faut d'abord savoir ce qui nous manque, aspirer à connaître et à vivre autre chose… ce que la plupart d'entre nous ont fini par oublier. Les évasions se limitent alors au sommeil, à l'alcool et aux drogues, à d'occasionnels « pétages de plomb » où les émotions prennent momentanément le dessus, à de belles envolées amoureuses… qui par définition ne durent pas, à des moments de ferveur sportive collective (l'émotion vécue au cours d'un match remplaçant celle que n'apporte plus la majorité des églises), à quelques moments forts glanés ici et là, comme de rares rayons de soleil sous la grisaille mentale.

À force de vivre dans cet étroit registre cérébral, beaucoup d'entre nous ont d'ailleurs fini par s'identifier à cet état et en ont oublié qu'on pouvait percevoir le monde autrement qu'à travers ce seul filtre.

Quand la conscience le déserte, notre corps devient l'objet du mental qui le nourrit n'importe comment et le traite sans ménagement, d'où l'envol des coûts de la santé.

Quand la conscience le déserte, notre cœur se dessèche, les liens se distendent entre les êtres, la solidarité s'étiole, l'individualisme et l'égoïsme règnent.
Quand la conscience le déserte, notre sexe devient le jouet du mental, il n'est plus lié ni à notre cœur ni à notre âme : la sexualité n'est plus que l'ombre mécanique de ce qu'elle pourrait être.

Quand la conscience les déserte, notre âme et notre esprit ne sont plus que des abstractions, des mots creux, des illusions, des fantômes. N'est alors conscient que notre seul ego, tandis que nos facultés les plus subtiles en sont réduites à s'exprimer à notre insu, *subconsciemment*, via les rêves, les synchronicités, les événements et rencontres qu'elles attirent dans notre vie, malgré nous.

Coupés de notre corps, de notre cœur, de nos instincts, de notre intuition, de notre étincelle spirituelle, enfermés dans le cocon que notre mental a tissé de milliers de pensées autour de nous, nous sommes aussi coupés des autres, de la nature, du monde subtil. La dégradation généralisée de la planète est le résultat de cet enfermement de la conscience dans l'intellect qui nous prive de toutes les perceptions qui nous feraient ressentir *dans notre chair, dans notre cœur et dans notre âme* cette destruction de l'environnement dont nous n'avons qu'une connaissance intellectuelle bien insuffisante pour nous pousser à (ré)agir.

Ce n'est pas l'intellect qui est ici en cause, mais l'usage abusif et exclusif que nous avons pris l'habitude d'en faire... L'intellect est comme l'œil, organe dont il a emprunté le vocabulaire. La vue est un sens merveilleux, celui d'ailleurs qui prédomine aujourd'hui. Mais que serait-il sans l'ouïe, sans l'odorat, le goût, le toucher ? À l'œil, on ne distingue pas un poisson pourri d'un frais ; au nez, si. À l'œil, on ne distingue pas un corps endormi d'un cadavre ; au toucher, si. À l'œil, on ne distingue pas un lait pasteurisé d'un lait frais ; au goût, si. C'est la synergie harmonieuse de tous nos sens qui nous donne la connaissance la plus complète et la plus adaptée de notre environnement et qui nous permet d'y fonctionner au mieux.

De manière analogue, nous avons tout intérêt à enrichir et à nuancer les facultés intellectuelles des apports des autres facultés qui sont les nôtres, à condition, pour cela, de commencer par les retrouver, les reconnaître, les développer.

C'est ce qu'ont commencé de faire de nombreux *dissidents*, d'un nouveau genre, depuis plusieurs décennies déjà. Ces dissidents-là, comme ceux du bloc soviétique d'autrefois, sont allés voir de « l'autre côté », ont réussi à franchir le

Rideau de fer et à rapporter d'autres perceptions, d'autres visions, d'autres connaissances.

Les premiers s'y sont livrés avec tant d'enthousiasme, d'excès, mais aussi de naïveté, qu'ils ont déclenché un retour de manivelle violent. Ce furent les hippies, toute la génération *flower power* qui prônait l'amour, le retour à la nature, l'accès à d'autres réalités par les substances psychédéliques. Depuis ce revers — et plus encore depuis l'avènement du mouvement new age —, on a assisté à un foisonnement sans précédent de méthodes en tous genres, s'appuyant souvent sur les acquis de la science et de la psychologie, destinées précisément à donner accès à tous ces territoires désertés par la conscience humaine.

Certains de ces dissidents les plus aguerris ont exploré le monde des sentiments et des émotions ; d'autres le corps, et toute la sagesse qu'il recèle ; d'autres encore sont allés rechercher d'antiques méthodes, notamment dans le chamanisme, pour accéder aux réalités dites « non ordinaires », donnant accès à des connaissances insoupçonnées, dans tous les domaines ; sans oublier ceux qui se sont passionnés pour l'étude scientifique des « états non ordinaires de conscience » (ENOC), des rêves, des rêves lucides, des expériences de mort imminente (EMI ou NDE[1]), de la parapsychologie, etc.

----

1. *Near death experience.*

Tous en ont rapporté des perceptions et connaissances nouvelles, débouchant non seulement sur une autre vision du monde, mais aussi sur d'autres relations aux autres, à la nature et au monde.

La *dissidence ultime* aujourd'hui consiste donc à s'échapper de cet État totalitaire de conscience que nous impose la culture mentale dominante que nous avons faite nôtre au cours de notre éducation. Ce n'est pas en bombardant notre intellect — déjà saturé — d'informations supplémentaires sur la dégradation du monde, sur la pollution, sur l'apocalypse qui nous pend au nez, sur tout ce qui ne va pas d'une manière ou d'une autre, que nous parviendrons à susciter un véritable changement individuel et collectif.

Savoir, aujourd'hui, ne suffit plus, de même que dans le passé se borner à *croire* s'est révélé insuffisant. Un savoir purement intellectuel, abstrait, extérieur demeure un savoir stérile.

Aujourd'hui, nous avons besoin de *connaître* et de *vivre* les choses, de les sentir, d'en faire *l'expérience* de première main, de les capter, de les absorber, d'entrer en résonance avec elles par tous nos organes de réception, par toutes nos facultés, si nous voulons retrouver l'envie, la volonté d'agir. À quoi sert de tout comprendre mentalement, si le cœur ne ressent rien et, donc, que nous n'agissons pas... ?

Cette *dissidence ultime*, qui nous fera déchirer ce Rideau de fer mental dont nous sommes collectivement prisonniers, nous pouvons donc la mettre en œuvre de multiples manières. En voici quelques-unes.

La porte du cœur

Dans l'État totalitaire de conscience, le cœur se voit souvent accorder la place minimale sans laquelle nous serions tout simplement morts. C'est généralement après avoir vécu une « ouverture du cœur » que les gens, tout étonnés, découvrent à quel point leurs facultés affectives et leur capacité d'aimer étaient réduites à l'extrême. L'univers mental favorise en effet la séparation, donc la comparaison, la compétition, et ce, dès l'école. Les hommes y sont le plus durement soumis et nombreux sont ceux qui, une fois adultes, sont totalement coupés de leurs sentiments et de leurs émotions profondes.

De nombreuses méthodes permettent aujourd'hui de se réapproprier l'univers affectif et de réapprendre le langage du cœur. Dans mon cas, cela s'est fait tardivement grâce à la communication non-violente, que j'ai apprise voilà douze ans de son fondateur, Marshall Rosenberg. La CNV est un outil à la fois simple et très efficace, dont j'aime à dire qu'il commence par nous doter d'une nouvelle paire d'oreilles ! Là où on n'entendait jusqu'à présent que des mots, des idées, des faits (analyse mentale), on entend soudain des sentiments, des émotions, un cœur comme le nôtre qui cherche à se faire entendre. Du coup, au lieu de se buter sur les exagérations des propos d'autrui, dits sous le coup de l'émotion (comme l'eau, qui en est le symbole, les émotions grossissent tout, cherchant plus à toucher l'autre qu'à décrire objectivement la situation), on se met à écouter ce qu'il éprouve, à accueillir son émotion, quelle qu'elle soit. Derrière cette émotion, la CNV apprend ensuite à distinguer un « besoin » : c'est en effet la non-satisfaction de ce besoin, selon Rosenberg, qui engendra cette émotion. L'identification de ce besoin nous rapproche immédiatement de notre interlocuteur, car derrière nos multiples différences, nos besoins fondamentaux sont les mêmes : besoin de sécurité, besoin d'être aimé, besoin de reconnaissance, besoin d'autonomie, et ainsi de suite.

Avant d'avoir découvert la CNV, je redoutais toutes les manifestations émotionnelles un peu vives, dans mes échanges avec autrui, puisque j'étais incapable de les comprendre et de les accueillir, et qu'elles avaient plutôt tendance à activer mes propres émotions… que je m'interdisais d'éprouver. Cette méthode m'a appris à simplement écouter le cœur de l'autre, à trouver un point commun entre lui et moi, un espace d'échange et de compréhension authentique. Du même coup, elle a aussi changé ma propre manière de m'exprimer, me rendant beaucoup plus attentif à ce qui se passait dans mon propre cœur, à mes sentiments, mes besoins, ma vie intérieure. Je l'ai beaucoup recommandée, notamment parce qu'elle est totalement *non intrusive*, point très important pour ceux qui, comme moi, ont au départ quelque peur à se lancer dans ce territoire inconnu et craignent d'aller vers leur vulnérabilité.

De nombreux auteurs proposent des approches qui favorisent de diverses manières cette réappropriation de ses émotions et/ou l'ouverture du cœur, parmi lesquels notamment don Miguel Ruiz, Colette Portelance, Jacques Salomé, Guy Corneau, Sobonfu Somé et de très nombreux autres. On parle actuellement beaucoup d'une méthode hawaïenne, l'*Ho'oponopono*, qui est aussi un très joli outil pour travailler sur l'empathie, le pardon et la résolution des conflits. De même, la *médiation* connaît actuellement un essor formidable, que ce soit à l'école (en Suisse, notamment), dans l'entreprise, dans le monde social et même politique : là où les parties en conflit tendent souvent à rester dans des jugements et une incompréhension mutuelle, la médiation vise à faire descendre l'échange au niveau des sentiments, du cœur, des besoins en jeu, niveau où une véritable compréhension et de réelles solutions sont possibles.

Le territoire du cœur est un espace vital et merveilleux à (re)découvrir, qui peut totalement transformer nos relations à nous-mêmes et aux autres. Cette porte de sortie du Rideau de fer mental est accessible à tous.

La porte du corps

Dans l'État totalitaire de conscience, le corps n'est qu'un outil au service du mental. On nous apprend très tôt à ne plus en écouter les messages, à ne pas respecter nos besoins de sommeil, à ignorer nos goûts et nos sensations de satiété, à nous imposer des heures quotidiennes de posture assise, à nous soumettre au bruit, au stress, à l'activité et à des stimulations contre nature. Cette façon de faire est si généralisée, elle nous est si coutumière, une fois adulte, que nous la trouvons parfaitement normale. Il est normal de tomber malade, normal d'avoir mal au dos, de porter des lunettes, d'être allergique, normal de dégénérer en vieillissant, et ainsi de suite. C'est effectivement *normal*, c'est-à-dire que c'est la norme pour qui traite son corps de cette façon-là. Mais pour peu qu'on le traite autrement, la norme devient toute autre.

Là encore, quand on parvient pour la première fois à placer sa conscience dans son corps, on est totalement ébahi de la découverte. D'objet, d'outil, le corps se révèle soudain organisme vibrant, d'une sensibilité incroyable, d'une intelligence insoupçonnée… et surtout d'une patience inouïe pour les maux que nous lui infligeons quotidiennement, contre lesquels il lutte inlassablement par tous les moyens dont il dispose (mais les maladies qui nous affligent malgré tout montrent combien la partie est inégale). Les moyens de replacer plus ou moins rapidement et/ou profondément sa conscience dans le corps sont nombreux, eux aussi. L'alimentation en est un : réapprendre à manger quand on a faim, à sentir ce dont le corps a besoin, expérimenter divers types d'alimentation pour trouver celle qui nous convient, jeûner un jour par semaine, faire des cures de détoxication…

Les massages en sont un autre. Il en existe une grande diversité qui permet de redécouvrir son corps, de libérer des tensions accumulées depuis longtemps, de déloger des émotions somatisées, de stimuler le fonctionnement de certains organes, ou tout simplement de passer un bon moment de détente, de retrouver le plaisir de sa peau, d'être touché.

Les divers types de yoga et de méthodes respiratoires peuvent, quand ils sont pratiqués régulièrement et sous la direction d'un instructeur dûment formé, également donner accès à une perception toute nouvelle de soi-même via son corps. Il y a aujourd'hui pléthore d'approches – jamais nous n'avons eu accès à un tel choix auparavant – parmi lesquelles chacun peut trouver celle(s) avec la ou lesquelles il se sent le plus en affinité, à un moment donné.

La porte des états
de conscience modifiés

Dans l'État totalitaire de conscience, les états qu'il nous est donné de vivre sont, par définition, extrêmement réduits. Il y a bien sûr l'état de veille, qui reste précisément prisonnier la plupart du temps de la seule sphère mentale. Il y a le sommeil et les rêves (dont une majorité de gens ne se souvient plus, passé l'enfance). Viennent ensuite les états de relaxation que découvrent de plus en plus de gens, depuis quelques décennies, via diverses méthodes favorisant les ondes alpha du cerveau : ils permettent d'effectuer un intéressant travail de visualisation qui s'est beaucoup popularisé depuis trente ans.

La bande de fréquences de conscience dans laquelle la majorité d'entre nous passe la totalité de sa vie n'est, en réalité, qu'une petite frange médiane dans le spectre auquel nous pourrions avoir accès. La métaphore qui s'impose ici est celle du spectre lumineux ou auditif : l'œil et l'oreille de l'homme ne perçoivent en effet qu'une petite portion de tout l'éventail des fréquences lumineuses et sonores qui existent autour de nous. D'autres espèces vivantes – abeilles, chauves-souris, dauphins, ou simplement chiens – captent des informations visuelles ou auditives qui échappent complètement à nos propres sens. Et de nombreux instruments développés par la science sont aujourd'hui capables de percevoir aussi bien les ultraviolets que les infrarouges, les ultra que les infrasons, mais aussi une multitude d'autres données qui échappent à nos sens. De même, à côté de notre bande de conscience habituelle existent des fréquences de conscience différentes qui révèlent d'autres aspects de la réalité – ou des réalités différentes, si l'on veut –, de même que l'abeille voit les fleurs d'une manière qui diffère de notre œil à nous.

Plus personne aujourd'hui ne nie l'existence des fréquences, rayonnements ou vibrations qui sortent de nos propres seuils de perception. En revanche, en matière de conscience, l'existence d'autres états de conscience et, plus encore, d'autres réalités (dites « non ordinaires ») accessibles via ces états de conscience modifiés, a commencé par être niée, avant d'être considérée comme relevant du pathologique, de la folie. Ce n'est que depuis peu de temps que certains courants encore minoritaires de la psychiatrie et de la psychologie (transpersonnelle) reconnaissent l'existence de ces réalités et en soulignent le potentiel hautement thérapeutique et évolutif.

Les «technologies du sacré», nom dont on qualifie parfois les méthodes permettant d'accéder à d'autres états de conscience, ont en effet totalement disparu de la société occidentale moderne où elles ne réapparaissent progressivement, encore timidement, que depuis très peu de temps non sans susciter d'ailleurs beaucoup de questions et de peurs.

Dans le chamanisme, par exemple, l'utilisation du tambour (dont le rythme modifie les ondes cérébrales), de la transe ou de certaines plantes psychédéliques (comme l'ayahuasca dont on parle beaucoup aujourd'hui), modifie l'état de conscience du chaman et lui permet de voyager dans diverses réalités. Les guérisons que ces chamans peuvent opérer, comme les informations qu'ils sont capables d'obtenir (qui vont de la localisation précise de gibier à distance, à l'élaboration de médicaments qui stupéfient nos pharmaciens et chimistes [exemple : le curare]), attestent de la validité de leurs méthodes dans de nombreux cas.

Au sein de nombreuses cultures de par le monde existaient ou existent encore des initiations qui permettaient à chaque membre de la communauté, généralement vers l'adolescence, d'accéder par lui-même à des états de conscience élargis. Ceux-ci lui donnaient une expérience de première main du monde subtil, spirituel, de ces autres réalités qui influent à notre insu sur la nôtre. La vision du monde de celui qui a vécu une expérience de ce genre change radicalement, comme on le voit d'ailleurs chez nous avec les transformations étonnantes que subissent les personnes ayant vécu une expérience de mort imminente (EMI), que ce soit à la suite d'un accident, d'une opération ou même d'une tentative de suicide. Le regard que *l'initié* d'une tribu, celui qui a vécu une EMI ou encore celui qui a vécu une expérience spirituelle spontanée (dite aussi *émergence spirituelle*) porte sur la vie, la nature, le monde, le sens de la vie, mais aussi la mort, l'au-delà, le spirituel et le divin, n'est plus le fruit de lectures, de croyances héritées du milieu, d'une culture commune, mais le résultat d'une perception directe de la réalité spirituelle, englobant de nombreuses dimensions non accessibles dans l'état de conscience ordinaire.

Malheureusement, ces initiations-là n'existent plus chez nous. Et les principales modifications de conscience que nous connaissons ne sont ni une *élévation* ni un *élargissement* de la conscience, mais plutôt la chute ou le rétrécissement de conscience qu'apportent l'alcool, les drogues, les médicaments (antidépresseurs, neuroleptiques, tranquillisants, etc.) et les « armes de distraction massive » qui anesthésient et abrutissent la conscience. Depuis peu, malgré tout, de nouvelles méthodes permettant d'accéder à ces états de conscience non ordinaires, et aux réalités qui leur correspondent, voient le jour, comme on en voit d'anciennes réapparaître et se propager.

La première que j'ai expérimentée permet d'apprendre à devenir conscient durant ses rêves, qu'on appelle dès lors des « rêves lucides ». Le rêve conscient était déjà connu des Tibétains (il figure dans les six yogas de Naropa), des Toltèques (Castaneda y fait référence) et d'autres cultures. Disparu de la psychologie occidentale, ce type de rêves y a progressivement refait son apparition vers le milieu des années 1980. Il existe aujourd'hui plusieurs livres enseignant à devenir conscient en rêve, le mien[1] ayant été le premier à paraître en français sur cette question, en 1982.

Prendre soudain conscience, au milieu d'un rêve, que ce que l'on prenait jusque-là pour la réalité n'est en fait qu'un songe est une expérience extraordinaire, une sorte d'« éveil », au cœur du sommeil. Mais, surtout, lorsqu'on apprend à mieux maîtriser cet état et à le faire durer, le rêve lucide se révèle un incroyable territoire d'exploration qui conduit du même coup à se poser une foule de questions. Est-ce vraiment mon subsconscient qui crée tous ces décors, tous ces personnages, ces sensations ? Comment se fait-il que j'accède, dans ce cadre, à des expériences dont je n'ai aucun équivalent dans ma vie éveillée… ? Et si je peux introduire ma conscience dans le rêve, réputé *inconscient*, où puis-je l'introduire d'autre, que je n'avais pas envisagé auparavant ? Le

---

1. *Vivre ses rêves*, O. Clerc, Hélios, Genève, 1982.

rêve lucide est un moyen simple et relativement accessible de développer sa conscience et d'accéder à des expériences d'un nouveau genre, très enrichissantes.

La *Respiration holotropique,* développée par le Dr Stanislav Grof et son épouse Christina, est un autre outil relativement simple et puissant, permettant à tous d'accéder à d'autres états de conscience et à un vaste nouveau champ expérientiel. Elle peut se pratiquer à deux, dans le cabinet d'un accompagnateur certifié, mais elle se vit plus fréquemment en groupe où chaque participant est alternativement *accompagnant* ou *respirant.* L'éventail d'expériences que cette méthode permet de vivre est considérable, allant du souvenir d'événements marquants de son enfance, de sa petite enfance, voire de sa naissance et même de l'existence intra-utérine, à des phénomènes dits *transpersonnels*, tels que l'identification à d'autres personnes ou à des animaux, la vision d'êtres et de royaumes archétypiques et mythologiques, des expériences ancestrales, raciales et karmiques, et enfin l'identification à l'esprit universel et au divin.

Dans l'État totalitaire de conscience, l'individu *croit* ou *ne croit pas* en Dieu, adhère ou non à une religion, sur la base des expériences ou révélations d'autrui — généralement un ou des prophètes — retransmises depuis des générations à travers des textes sacrés où elles sont consignées : Torah, Bible, Coran, etc. Comme le *savoir* se limite à l'objectif, il ne s'applique pas au religieux. Mais pourquoi croire ou ne pas croire, à défaut de savoir, quand on peut découvrir les choses par soi-même ?

Une expérience spirituelle de première main, en état de conscience modifié (comme en ont d'ailleurs connu les saints et les prophètes d'autrefois), donne à l'individu un *vécu personnel* d'une réalité et d'une densité sans commune mesure avec une simple croyance, que le doute peut ronger un jour. Fait intéressant, la nature de ces expériences semble indépendante des croyances préalables de ceux qui les vivent, les ouvrant ainsi à une spiritualité universelle, non limitée à un dogme particulier (sans être incompatible avec, pour autant). En outre – et ce fait est encore plus important dans la crise que nous vivons mondialement aujourd'hui –, ces expériences, quand elles touchent à ce que l'on nomme le *transpersonnel*, c'est-à-dire à ce qui sort du cadre étriqué de notre vie individuelle, développent très fréquemment chez l'individu une conscience écologique spontanée, très aiguë, qui n'est plus le fruit de lectures ou d'une prise de conscience intellectuelle, mais d'un ressenti, d'une *identification* avec la nature et le vivant, d'une *perception* directe des liens très étroits qui nous unissent à toute la biosphère. *Savoir* que nous sommes tous liés les uns aux autres et à toute la biosphère, ou l'avoir *vécu* et *ressenti* dans tout son être sont deux expériences de nature radicalement différente.

Des expériences transpersonnelles de même nature sont fréquemment relatées par les personnes qui partent au Pérou, en Équateur ou au Mexique, et qui ont l'occasion de participer à une cérémonie de prise d'ayahuasca avec un véritable *ayahuasquero*, chaman formé à l'utilisation rituelle de cette substance psychotrope, utilisée depuis des siècles. Bien que nous utilisions quotidiennement des médicaments, l'usage de substances psychédéliques pour élargir sa conscience a mauvaise réputation chez nous, en grande partie du fait de l'emploi massif et incontrôlé dont certaines d'entre elles ont fait l'objet à l'époque hippie.

Il existe de nombreuses autres méthodes permettant d'accéder à des états non ordinaires de conscience, tels que l'hyperventilation, le cri primal, l'hypnose, la transe, pour ne citer que ceux-ci. Certains peuples ont aussi utilisé des moyens encore plus radicaux faisant appel au jeûne prolongé, à la privation de sommeil, à la souffrance rituelle.

Toutefois, pour un débutant, l'exploration de ces territoires n'est pas plus à prendre à la légère que l'escalade d'un sommet de haute montagne ou une traversée transatlantique à la voile. Tout le monde s'accorde pour dire que, plus que la méthode mise en œuvre, le plus important est *le cadre et l'encadrement* dans et avec lequel se déroule une expérience.

Dans les pays totalitaires d'autrefois existaient des *passeurs*, qui connaissaient les failles du système, savaient par où se faufiler de l'autre côté en prenant un minimum de risques. Combien de personnes, à l'époque, ont payé de leur vie d'avoir voulu tenter par leurs propres moyens de franchir le Rideau de fer ? D'autres ont parfois cher payé d'avoir fait confiance à des passeurs douteux, surtout intéressés par l'argent qu'ils pouvaient leur soutirer.

Maintenant que toute la terre a été explorée, qu'il n'existe plus de continents ni même de pays inconnus à découvrir à la surface de la planète, nos nouvelles destinations ne sont pas seulement les profondeurs océaniques ni les espaces interplanétaires et interstellaires, mais notre intériorité, les dimensions et réalités auxquelles nous pouvons tous accéder par notre conscience, en la libérant du carcan mental où elle a mûri durant toute l'ère qui s'achève, pour en déployer les ailes et explorer un univers autrement plus vaste et plus riche.

Il se pourrait – comme beaucoup le croient ou l'espèrent aujourd'hui – que nous soyons à l'aube d'un nouveau 9 novembre 1989 symbolique, que cet autre Rideau de fer s'effondre lui aussi, mettant fin à cette longue ère de développement solitaire du mental et augurant l'éveil d'une autre conscience, d'autres facultés. Si une telle poussée évolutive doit effectivement se produire, la grande question en suspens est « Comment ? » : lentement ou rapidement, brutalement ou en douceur… ? À ceux qui, comme moi, pensent que rien n'est écrit ni joué d'avance, la réponse est que cela dépendra de chacun d'entre nous : du chemin que nous aurons accompli individuellement, et que nous aurons aidé d'autres à parcourir.

Imprimé en Allemagne par GGP Media GmbH, Pössneck
Dépôt légal : novembre 2011
ISBN : 978-2-501-06801-7
4062360